CME

Te 

5

3rd Edition

简体版

Yamin Ma
Xinying Li

Joint Publishing (H.K.) Co., Ltd.
三联书店（香港）有限公司

Chinese Made Easy *(Textbook 5) (Simplified Character Version)*

Yamin Ma, Xinying Li

Editor	Shang Xiaomeng
Art design	Arthur Y. Wang, Yamin Ma
Cover design	Arthur Y. Wang, Zhong Wenjun
Graphic design	Arthur Y. Wang, Wu Guanman
Typeset	Chen Xianying

Published by
JOINT PUBLISHING (H.K.) CO., LTD.
20/F., North Point Industrial Building,
499 King's Road, North Point, Hong Kong

Distributed by
SUP PUBLISHING LOGISTICS (H.K.) LTD.
3/F., 36 Ting Lai Road, Tai Po, N.T., Hong Kong

First published January 2004
Second edition, first impression, March 2007
Third edition, first impression, August 2016

Photo credits
p.208: (top to bottom, left to right) © Microfotos, © 1tu, © Microfotos; p.212: (top to bottom) © 1tu, © Microfotos; p.214: (top to bottom, left to right) © Microfotos, © Microfotos, © 1tu.
Below photos only © 2016 Microfotos:
pp. 4, 5, 10, 14, 18, 22, 32, 33, 35, 36, 38, 42, 49, 52, 54, 58, 62, 63, 64, 66, 68, 72, 77, 78, 80, 82, 85, 86, 94, 96, 101, 102, 106, 107, 108, 110, 112, 115, 116, 120, 122, 124, 126, 129, 130, 140, 151, 160, 164, 165, 166, 168, 170, 180, 182, 183, 184, 186, 189, 194, 196, 198, 203, 210, 218.
Below photos only © 2016 1tu:
pp. 76, 92, 121, 204.

E-mail:publish@jointpublishing.com

轻松学汉语 *(课本五)(简体版)*

编　　著　马亚敏　李欣颖

责任编辑　尚小萌
美术策划　王　宇　马亚敏
封面设计　王　宇　钟文君
版式设计　王　宇　吴冠曼
排　　版　陈先英
出　　版　三联书店(香港)有限公司
香港北角英皇道 499 号北角工业大厦 20 楼
发　　行　香港联合书刊物流有限公司
香港新界大埔汀丽路 36 号 3 字楼
印　　刷　中华商务彩色印刷有限公司
香港新界大埔汀丽路 36 号 14 字楼
版　　次　2004 年 1 月香港第一版第一次印刷
2007 年 3 月香港第二版第一次印刷
2016 年 8 月香港第三版第一次印刷
规　　格　大 16 开(210 × 280mm)240 面
国际书号　ISBN 978-962-04-3462-4

简介

- 《轻松学汉语》系列（第三版）是一套专门为汉语作为外语 / 第二语言学习者编写的国际汉语教材，主要适合小学高年级学生、中学生使用，同时也适合大学生使用。
- 本套教材旨在帮助学生奠定扎实的汉语基础；培养学生在现实生活中运用准确、得体的语言，有逻辑、有条理地表达思想和观点。这个目标是通过语言、话题和文化的自然结合，从词汇、语法等汉语知识的学习及听、说、读、写四项语言交际技能的训练两个方面来达到的。
- 本套教材遵循汉语的内在规律。其教学体系的设计是开放式的，教师可以采用多种教学方法，包括交际法和任务教学法。
- 本套教材共七册，分为两个阶段：第一册至第四册是第一阶段，第五册至第七册是第二阶段。第一册至第四册课本和练习册是分开的，而第五册至第七册课本和练习册合并为一本。
- 本套教材包括：课本、练习册、教师用书、词卡、图卡、补充练习、阅读材料和电子教学资源。

INTRODUCTION

- The third edition of "Chinese Made Easy" is written for primary 5 or 6 students and secondary school and university students who are learning Chinese as a foreign/second language.
- The primary goal of the 3rd edition is to help students establish a solid foundation of vocabulary, grammar, knowledge of Chinese and communication skills through natural and graduate integration of language, content and culture. The simultaneous development of listening, speaking, reading and writing is especially emphasized. The aim is to help students develop skills to communicate in Chinese in authentic contexts and express their viewpoints appropriately, precisely, logically and coherently.
- The unique characteristic of the 3rd edition is that the programme allows the teacher to use a combination of various effective teaching approaches, including the Communicative Approach and the task-based approach, while taking into account the Chinese language system.
- The 3rd edition consists of seven books and in two stages. The first stage consists of books 1 through 4 (the textbook and the workbook are separate), and the second stage consists of books 5 through 7 (the textbook and the workbook are combined).
- The "Chinese Made Easy" series includes Textbook, Workbook, Teacher's book, word cards, picture cards, additional exercises, reading materials and digital resources.

课程设计

教材内容

- 课本综合培养学生的听、说、读、写技能，提高他们的汉语表达能力和学习兴趣。
- 练习册是配合课本编写的，侧重学生阅读和写作能力的培养。其中的阅读短文也可以用作写作范文。
- 教师用书为教师提供了具体的教学建议、课本和练习册的练习答案以及单元测试卷。
- 阅读材料题材丰富、原汁原味，旨在培养学生的语感，加深学生对中国社会和中国文化的了解。

DESIGN OF THE SERIES

The series includes

- The textbook is designed to help students develop the four language skills simultaneously: listening, speaking, reading and writing. The textbook plays an important role in helping students develop their communication skills and enhance their interest in learning Chinese.
- In order to support the textbook, the workbook is designed to help the students develop their reading and writing skills. Engaging reading passages also serve as exemplar essays.
- The Teacher's Book provides suggestions on how to use the series, answers to exercises and end of unit tests.
- Authentic reading materials that cover a wide range of subjects help the students develop a feel for Chinese, while deepening their understanding of contemporary China and the Chinese culture.

教材特色

- 考虑到社会的发展、汉语学习者的需求以及教学方法的变化，本套教材对第二版内容做了更新和优化。

◇课文的主题是参考 IGCSE 考试、AP 考试、IB 考试等最新考试大纲的相关要求而定的。课文题材更加贴近学生生活。课文体裁更加丰富多样。

◇生词的选择参考了 IGCSE 考试、IB 考试及 HSK 等考试大纲的词汇表。所选生词使用频率高、组词能力强，且更符合学生的交际及应试需求。此外还吸收了部分由社会的发展而产生的新词。

- 语音、词汇、语法、汉字教学都遵循了汉语的内在规律和语言的学习规律。

◇语音练习贯穿始终。每课的生词、课文、韵律诗、听力练习都配有录音，学生可以聆听、模仿。拼音在初级阶段伴随汉字一起出现。随着学生汉语水平的提高，拼音逐渐减少。

◇通过实际情景教授常用的口语和书面语词汇。兼顾字义解释生词意思，利用固定搭配讲解生词用法，方便学生理解、使用。生词在课本中多次复现，以巩固、提高学习效果。

◇强调系统学习语法的重要性。语法讲解简明直观。语法练习配有大量图片，让学生在模拟真实的情景中理解和掌握语法。

◇注重基本笔画、笔顺、汉字结构、偏旁部首的教学，让学生循序渐进地了解汉字构成。练习册中有汉字练习，帮学生巩固所学。

- 全面培养听、说、读、写技能，特别是口语和书面表达能力。

◇由听力入手导入课文。

◇设计了多样有趣的口语练习，如问答、会话、采访、调查、报告等。

The characteristics of the series

- Since the 2nd edition, "Chinese Made Easy" has evolved to take into account social development needs, learning needs and advances in foreign language teaching methodology.

◇ Varied and relevant topics have been chosen with reference to the latest syllabus requirements of: IGCSE Chinese examinations in the UK, AP Chinese exams in the US, and Language B Chinese exams from the IBO. The content of the texts are varied and relevant to students and different styles of texts are used in this series.

◇ In order to meet the needs of students' communication in Chinese and prepare them for the exams, the vocabulary chosen for this series is not only frequently used but also has the capacity to form new phrases. The core vocabulary of the syllabus of IGCSE Chinese exams, IB Chinese exams and the prescribed vocabulary list for HSK exams has been carefully considered. New vocabulary and expressions that have appeared recently due to language evolution have also been included.

- The teaching of pronunciation, vocabulary, grammar and characters respects the unique Chinese language system and the way Chinese is learned.

◇ Audio recordings of new words, texts, rhymes and listening exercises are available for students to listen and imitate with a view to improving pronunciation. Pinyin appears on top of characters at an early stage and is gradually removed as the student gains confidence.

◇ Vocabulary used in practical situations in both oral and written form is taught within authentic contexts. In order for the students to better understand and correctly apply new words, the relevant meaning of each character is introduced. The fixed phrases and idioms are learned through sample sentences. Vocabulary that appears in earlier books is repeated in later books to reinforce and consolidate learning.

◇ The importance of learning grammar systematically is emphasized. Grammatical rules are explained in a simple manner, followed by practice exercises with the help of ample illustrations. In order for the students to have a better understanding of and achieve mastery over grammatical rules, authentic situations are provided.

◇ In order for the students to understand the formation of characters, this series stresses the importance of teaching basic strokes, stroke order, character structures and radicals. To consolidate the learning of characters, character-specific exercises are provided in the workbook.

- The development of four language skills, especially productive skills (i.e. speaking and writing) is emphasized.

◇ Each text is introduced through a listening exercise.

◇ Varied and engaging oral tasks, such as questions and answers, conversations, interviews, surveys and oral presentations are designed.

◇提供了大量阅读材料，内容涵盖日常生活、社会交往、热门话题等方面。
◇安排了电邮、书信、日记等不同文体的写作训练。

- 重视文化教学，形成多元文化意识。

◇随着学生汉语水平的提高，逐步引入更多对中国社会、文化的介绍。
◇练习册中有较多文化阅读及相关练习，使文化认识和语言学习相结合。

- 在培养汉语表达能力的同时，鼓励学生独立思考和批判思维。

课堂教学建议

- 本套教材第一至第四册，每册分别要用大约 100 个课时完成。第五至第七册，难度逐步加大，需要更多的教学时间。教师可以根据学生的汉语水平和学习能力灵活安排教学进度。

- 在使用本套教材时，建议教师：

◇带领学生做第一册课本中的语音练习。鼓励学生自己读出新的生词。
◇强调偏旁部首的学习。启发学生通过偏旁部首猜生字的意思。
◇讲解生词中单字的意思。遇到不认识的词语，引导学生通过语境猜词义。
◇借助语境展示、讲解语法。
◇把课文作为写作范文。鼓励学生背诵课文，培养语感。
◇根据学生的能力和水平，调整或扩展某些练习。课本和练习册中的练习可以在课堂上用，也可以让学生在家里做。
◇展示学生作品，使学生获得成就感，提高自信心。
◇创造机会，让学生在真实的情景中使用汉语，提高交际能力。

马亚敏
2014 年 6 月于香港

◇ Reading materials are chosen with the students in mind and cover relevant topics taken from daily life.
◇ Composition exercises ensure competence in different text types such as E-mails, letters, diary entries and etc.

- In order to foster the students' multi-cultural awareness, the teaching of Chinese cultural elements is emphasized.

◇ As students' Chinese language skills increase, an effort has been made to introduce more about contemporary China and Chinese culture.
◇ Plenty of reading materials and related exercises are available in the workbook, so that language learning can be interwoven with cultural awareness.

- While cultivating the ability of language use in Chinese, this series encourages students to think independently and critically.

HOW TO USE THIS SERIES

- Each of the books 1, 2, 3 and 4 covers approximately 100 hours of class time. The difficulty level of Books 5, 6 and 7 increases and thus the completion of each book will require more class time. Ultimately, the pace of teaching depends on the students' level and ability.

- Here are some suggestions as how to use this series. The teachers should:

◇ Go over with the students the phonetics exercises in Book 1, and at a later stage, the students should be encouraged to pronounce new pinyin on their own.
◇ Stress the importance of learning radicals, and encourage the students to guess the meaning of a new character by applying their understanding of radicals.
◇ Explain the meaning of each character, and guide the students to guess the meaning of a new phrase using contextual clues.
◇ Demonstrate and explain grammatical rules in context.
◇ Use the texts as sample essays and encourage the students to recite them with the intention of developing a feel for the language.
◇ Modify or extend some exercises according to the students' levels and ability. Exercises in both textbook and workbook can be used for class work or homework.
◇ Display the students' works with the intention of fostering a sense of success and achievement that would increase the students' confidence in learning Chinese.
◇ Provide opportunities for the students to practise Chinese in authentic situations in order to improve confidence and fluency.

Yamin Ma
June 2014, Hong Kong

Authors' acknowledgements

We are grateful to the following who have so graciously helped with the publication of this series:

- Our publisher, 侯明女士 who trusted our ability and expertise in the field of Chinese language teaching and learning.
- Editors, 尚小萌 and Annie Wang for their meticulous hard work and keen eye for detail.
- Graphic designers, 吴冠曼、陈先英、杨录 for their artistic talent in the design of the series' appearance.
- 郑海槟、郭杨、栗铁英 who helped with proofreading and making improvements to the script.
- 于霆 for her creativity and imagination in her illustrations.
- The art consultant, Arthur Y. Wang, without whose guidance the books would not be so visually appealing.
- 胡廉轲、刘梦箫、郭杨 who recorded the voice tracks that accompany this series.
- And finally, to our family members who have always given us generous and unwavering support.

目录

取消中学会考

生词

❶ 方 fāng side; party ❷ 消 xiāo remove 取消 qǔ xiāo cancel

❸ 会 huì gather 会考 huì kǎo unified exams

❹ 展 zhǎn open up 展开 zhǎn kāi carry out

❺ 讨（討）tǎo discuss ❻ 论 lùn discuss 讨论 tǎo lùn discuss

学校各方对该不该取消中学会考展开了讨论。

❼ 反对 fǎn duì oppose ❽ 声音 shēng yīn sound; voice

❾ 个人 gè rén personal

我个人认为不应该取消中学会考。

❿ 由 yóu reason 理由 lǐ yóu reason

⓫ 阶（階）jiē rank 阶段 jiē duàn phase ⓬ 基 jī foundation

⓭ 础（礎）chǔ stone base of a pillar 基础 jī chǔ foundation

⓮ 测试 cè shì test ⓯ 实际 shí jì real; actual

⓰ 掌 zhǎng control

⓱ 握 wò grasp 掌握 zhǎng wò grasp; master

测试可以让学生了解自己对知识的实际掌握情况。

⓲ 动力 dòng lì driving force ⓳ 方式 fāng shì form

⓴ 方向 fāngxiàng orientation

㉑ 倍 bèi double 加倍 jiā bèi doubly

这样，他们会加倍努力，争取最好的成绩。

㉒ 高考 gāo kǎo university entrance examination

㉓ 紧（緊）jǐn pressing

㉔ 张 zhāng stretch 紧张 jǐn zhāng nervous

㉕ 真实 zhēn shí real

㉖ 挥（揮）huī give out 发挥 fā huī bring into play

有了中学会考的经验，学生高考时可以把真实水平发挥出来。

㉗ 压力 yā lì pressure ㉘ 人生 rén shēng life

㉙ 本来 běn lái originally; at first

㉚ 挑 tiāo stir up

㉛ 战（戰）zhàn fight 挑战 tiǎozhàn challenge

㉜ 抗 kàng resist

㉝ 必 bì must 必要 bì yào necessary

㉞ 否 fǒu no; not ㉟ 则（則）zé then 否则 fǒu zé otherwise

㊱ 温室 wēn shì green house ㊲ 花朵 huā duǒ flower

㊳ 娇气 jiāo qì delicate ㊴ 经 jīng stand; withstand

㊵ 风雨 fēng yǔ hardship

否则，他们长大后会像温室里的花朵一样娇气，经不起风雨。

> **Grammar: Sentence Pattern: Noun_1 + 像 + Noun_2 + 一样 + Adjective**

㊶ 应 yìng deal with 应对 yìng duì respond ㊷ 变化 biàn huà change

㊸ 对于 duì yú toward(s)

㊹ 持 chí hold

对于取消中学会考，我持反对意见。

1 完成句子

1) 支持和反对取消中学会考的声音都有，听起来都有道理。

支持和反对 ____，听起来 ____。

2) 我个人认为不应该取消中学会考。

我个人认为 ____。

3) 总的来说，虽然中学会考会给学生的学习和生活带来一些影响，但是我相信他们有能力应对这些变化。

总的来说，虽然 ____，但是 ____。

4) 有人说中学生的压力已经够大了，不要再给他们增加压力了。

有人说 ____，不要再 ____。

5) 其实，人生本来就有很多压力和挑战。培养学生的抗压能力十分必要。

其实，____。____ 十分必要。

6) 对于取消中学会考，我持反对意见。

对于 ____，我持 ____。

2 听课文录音，做练习

A 回答问题

1) 对于取消中学会考，她持什么态度？

2) 她提出了几个理由？

3) 为什么测试对初中生很重要？

B 选择（答案不只一个）

1) 她认为 ____。

a) 取消中学会考是不应该的

b) 高中阶段学的知识最重要

c) 学生有了方向就会加倍努力

d) 中学生都是温室里的花朵

e) 学生应该培养抗压能力

2) 中学会考 ____。

a) 会使学生高考时更紧张

b) 可以变成学生学习的动力

c) 对学生的学习和生活有影响

d) 没有什么必要，应该取消

e) 很难测出学生掌握知识的情况

课文 

中学会考不应该取消

最近学校各方对该不该取消中学会考展开了讨论。支持和反对的声音都有，听起来都有道理。我个人认为不应该取消中学会考，主要有以下几个理由。

首先，初中阶段是打基础的阶段。测试可以让学生了解自己对知识的实际掌握情况。其次，考试也是学习的动力，是一种复习的方式。中学会考让学生有努力的方向，使他们认识到每天的学习都是为了今后的会考做准备。这样，他们会加倍努力，争取最好的成绩。最后，有了中学会考的经验，学生高考时不会那么紧张，可以把真实水平发挥出来。

有人说中学生的压力已经够大了，不要再给他们增加压力了。其实，人生本来就有很多压力和挑战。培养学生的抗压能力十分必要。否则，他们长大后会像温室里的花朵一样娇气，经不起风雨。

总的来说，虽然中学会考会给学生的学习和生活带来一些影响，但是我相信他们有能力应对这些变化。对于取消中学会考，我持反对意见。中学会考对初中生来说很有必要，不应该取消。

3 用所给结构及词语写句子

1) 有了中学会考的经验，学生高考时不会那么紧张，可以把真实水平发挥出来。 → 把　心里话

2) 首先，初中阶段是打基础的阶段。其次，考试也是学习的动力。最后，有了中学会考的经验，……。 → 首先，……。其次，……。最后，……。　健康

3) 培养学生的抗压能力十分必要。否则，他们长大后会像温室里的花朵一样娇气，经不起风雨。 → 像……一样　流利

4 角色扮演

情景 1 你们认为应该取消中学会考。

例子：

你：　中学生平时有测验，还有期中考试、期末考试，再加上会考和高考，好像学习只是为了参加考试。

同学：对，中学生的考试已经够多了。中学生的学习压力已经够大了，不要再给我们增加压力了。

……

情景 2 你们认为不应该取消中学会考。

例子：

你：　初中阶段是打基础的阶段。测试可以让学生了解自己对知识的实际掌握情况。

同学：中学会考是为以后的高考做准备。有了中学会考的经验，学生高考时就不会那么紧张了。

……

你可以用

a) 高中毕业时学生还要参加高考。中学时期准备一次大的考试就够了。

b) 学校不应该把学生变成考试机器。

c) 学生的主要任务不应该是应付考试，而应该是全面发展。

d) 如果经常考试，学生会慢慢习惯考试，大考的时候就不紧张了。

e) 有了考试，学生就有了努力的方向。他们会加倍努力，争取更好的成绩。

5 小组讨论

话题1 在准备会考的过程中，初中生会有哪些压力？

例子：

同学1：老师给我们很大的压力。老师希望每个学生都能在考试中得高分。

同学2：汉语老师每次上课都给我们听写。我们每个月都有测验，每个学期有好几次考试。

……

话题2 中学生应该怎样应对学习压力？

例子：

同学1：学生有压力是正常的，应该把压力变成动力。学生应更努力学习，测验和考试以前要认真复习。

同学2：学生平时上课要认真听讲，有问题要及时问老师。如果等到考试前一天才开始学习，当然会有很大的压力。

……

话题3 除了学习、考试以外，初中生还要通过参加课外活动培养哪些能力？

例子：

同学1：我今年参加了学校的篮球队。通过跟同学一起打篮球，我不但提高了球技，还培养了与人沟通、合作的能力。

同学2：我参加了奥林匹克数学竞赛班。现在我的数学成绩提高了不少。除此之外，……

你可以用

a) 我的朋友门门课都得高分。我父母要求我像他一样，每门课都要过90分。这让我有很大的压力。

b) 有时候压力也是动力。人如果没有压力就很难进步。

c) 培养学生的抗压能力十分必要。

d) 跟同学聊天儿、周末出去看电影等，都是不错的减压方式。

e) 当天的作业要当天做完，考试要提前复习，不要临时抱佛脚（lín shí bào fó jiǎo）。

f) 要学会管理时间，还应该多关心、帮助别人。

g) 要学会自己的事情自己做，不能靠别人。

h) 参加课外活动时，要学会跟他人商量，好好地沟通、交流、合作。

i) 不管遇到什么事情、有什么困难，我们都应该想办法解决。

6 阅读理解

家庭教育讲座

家庭教育在孩子的成长过程中起着十分重要的作用。好的家庭教育可以培养孩子良好的习惯、美好的品德以及广(guǎng)泛(fàn)的兴趣。但是，很多时候家长不清楚怎样才能把孩子培养成对社会有用、能为社会做贡献的人。我们专门请教育专家张明教授举办两次讲座，回答大家想知道的有关家庭教育的问题。张教授将和大家讨论：

- 如何给孩子择(zé)校？
- 孩子没有进理想的学校，该怎么办？
- 学校把辅导(fǔ dǎo)孩子学习的工作甩(shuǎi)给了家长，家长该怎么办？
- 孩子多大年龄(nián líng)出国读书比较合适？
- 怎样培养出积极(jī jí)向上的孩子？
- 怎样培养孩子的创造(chuàng zào)力？
- 怎样管教叛逆(pàn nì)期的孩子？
- 怎样帮助孩子顺利(shùn lì)度过青春期？
- 家长和孩子之间有代沟(dài gōu)，该怎么办？
- 什么样的家庭教育最有利于孩子的成长？

A 选择（答案不只一个）

1) 青春期是指 ____。
   a) 十几岁这个年龄段
   b) 中学阶段
   c) 小学阶段

2) “把辅导孩子学习的工作甩给了家长”的意思是 ____。
   a) 学生自己学习
   b) 让家长负责给孩子补习
   c) 学校安排老师给学生补习

3) 很多家长会去听讲座，因为他们的孩子 ____。
   a) 不听家长的话
   b) 缺乏创意
   c) 积极向上
   d) 将来不去国外上大学
   e) 很难与别人进行沟通
   f) 考上了理想的大学

B 回答问题

1) 家庭教育可以起什么作用？

2) 家长希望把孩子培养成什么样的人？

7 阅读理解

吃苦教育

中国有句古话说“有钱难买少年苦”。这句话的意思是：一个人在小时候吃点儿苦、受点儿累，对将来是有好处的。大部分的成功人士小时候都吃过苦，因此才知道要不断努力、珍惜(zhēn xī)来之不易的一切。

现在的一些青少年从小娇生惯养。有的青少年甚至(shèn zhì)还有佣人(yōng rén)照顾。除了做作业以外，他们什么事情都不用做。别人为他们做的任何(rèn hé)事，他们都觉得是理所当然的。在这种环境下长大的孩子，不仅自理能力差，而且在生活、学习中遇到困难容易退却(tuì què)，遇到挫折(cuò zhé)容易放弃(fàng qì)。他们将来到社会上怎么会有竞争(jìng zhēng)力呢？

人的一生中一定会遇到困难和挫折。因此，从小让孩子吃些苦是很有必要的。虽然现在的生活水平提高了，生活条件优越(yōu yuè)了，但学校和家庭仍然(réng rán)可以创造条件让孩子经受磨炼(mó liàn)，比如让孩子去露营、参加越野跑比赛、参与(cān yù)慈善活动、去贫困(pín kùn)地区做义工等。这样孩子可以学会在困境(kùn jìng)中生存(shēng cún)，培养坚强(jiān qiáng)的意志(yì zhì)，将来离开(lí kāi)父母的保护伞后，才能更好地独立生活。

A 写意思

1) 珍惜：__________

2) 放弃：__________

3) 竞争：__________

4) 磨炼：__________

5) 参与：__________

6) 离开：__________

B 配对

- ☐ 1) 娇生惯养
- ☐ 2) 理所当然

a) 理当如此。
b) 从小受到过多的娇宠和溺爱。
c) 不以为然。
d) 从小吃尽了苦头。

C 判断正误，并说明理由

	对	错
1) 现在的一些青少年除了读书以外，什么都不用操心。		
______	___	___
2) 一些青少年觉得其他人都应该照顾他，为他服务。		
______	___	___
3) 因为在家娇生惯养，所以一些青少年不会做家务，不能照顾自己。		
______	___	___

D 回答问题

1) 从小娇生惯养的孩子遇到困难时会怎么样？

2) 为什么从小让孩子吃些苦是很有必要的？

3) 在经济条件越来越好的情况下，家长可以怎样创造条件让孩子吃些苦？

E 学习反思

1) 中国有句古话说“有钱难买少年苦”。你觉得这句古话在现代社会还适用吗？请说说你的看法。

2) 在其他文化中也有类似的观点吗？请介绍一下。

F 学习要求

学会表达一种观点，掌握三个句子、五个词语。

中西方教育理念的差异

学校教育

1) 中国教育注重知识的传授(chuánshòu)。教学内容的知识性比较强。
2) 在中国，学校里竞争很激烈(jī liè)。幼稚园升小学、小学升中学、中学考大学，一道道关卡(guān qiǎ)都要过。
3) 中国学校的学生考试压力大。考试内容大部分需要记忆(jì yì)。
4) 中国学校重视主科的学习，比如语文、数学和外语，不太重视副(fù)科(kē)和选修(xuǎn xiū)课，比如历史、音乐等。

家庭教育

1) 中国家长重视学习，看重成绩，对孩子的要求比较高。
2) 很多中国家长不要求孩子做家务。孩子只要专心学习就可以了。

学校教育

1) 西方教育注重让学生进行(jìn xíng)体验、实践(shí jiàn)，自己得出结论(jié lùn)，积累(jī lěi)经验(jīng yàn)。
2) 在西方，学校里竞争不那么激烈。学校的数量(shù liàng)比较多，所以学生的升学压力相对小一些。
3) 西方学校的考试不太频繁(pín fán)。考试时要求学生运用批判性思维(pī pàn xìng sī wéi)，表达(biǎo dá)个人观点(guāndiǎn)。

家庭教育

1) 西方家长重视培养孩子独立生活的能力，不把考试分数看得过重。
2) 西方家长注重孩子自由、全面地发展(fā zhǎn)。如果孩子对某(mǒu)个事物有兴趣，家长会支持孩子去学。

A 配对

☐ 1) 关卡
☐ 2) 副科

a) 为了升学而补课。
b) 指困难或阻碍。
c) 指体育课、历史课等。
d) 指语言课程。

B 写意思

1) 传授：________
2) 实践：________
3) 积累：________
4) 频繁：________
5) 表达：________
6) 发展：________

C 判断正误，并说明理由

	对	错
1) 在中国，老师会教给学生很多知识。		
________	___	___
2) 为了应付考试，中国学生要记住很多内容。		
________	___	___
3) 在西方，高中生都能读大学。		
________	___	___

D 回答问题

1) 在西方，考试有哪些要求？

2) 中国家长对孩子有哪些要求？

3) 西方家长怎么培养孩子？

E 学习反思

在你眼里，中国的学校教育有哪些优点？西方的家庭教育有哪些优点？

F 学习要求

学会表达一种观点，掌握三个句子、五个词语。

9 根据实际情况回答问题

1) 你们学校的初中生参加中学会考吗？要考几门课？
2) 你们学校平时有哪些测验和考试？考试后排名次吗？
3) 你平时考试能发挥出真实水平吗？怎样做才能在考试时发挥真实水平？
4) 汉语考试前你会紧张吗？你会提前几天开始复习？你一般怎么复习？
5) 请你跟大家分享一些有效的复习方法。
6) 你管理时间的能力强吗？你是如何管理时间的？
7) 你的压力大吗？这些压力从哪里来？
8) 你的抗压能力强吗？
9) 压力给你的学习和生活带来了哪些影响？
10) 有压力的时候，你一般用什么方法减压？
11) 你学习的动力是什么？
12) 到目前为止，你在学习和生活中遇到的最大的挑战是什么？

10 成语谚语

A 成语配对

☐ 1) 胸(xiōng)有成竹	a) 所见所闻都有一种新奇、清新的感觉。
☐ 2) 车水马龙	b) 形容专心努力工作或学习。
☐ 3) 耳目一新	c) 从开始到结束。
☐ 4) 自始至终(zhōng)	d) 比喻(bǐ yù)做事之前已经拿定主意。
☐ 5) 废寝(qǐn)忘食	e) 形容(xíngróng)车辆来往不绝(jué)，热闹非凡(fēi fán)。

B 中英谚语同步

1) 活到老，学到老。 It is never too old to learn.
2) 少壮(zhuàng)不努力，老大徒(tú)伤悲(bēi)。 An idle youth, a needy age.
3) 有志者事竟(jìng)成。 Where there is a will, there is a way.

11 文体

议论文格式

标题（一般用论点作标题）

□□……该不该……，支持和反对的声音都有。我个人认为……，主要有以下几个理由。

□□首先／第一，…………………………………………………………………………

……………………………………………………………………………………………

□□其次／第二，…………………………………………………………………………

……………………………………………………………………………………………

□□最后，…………………………………………………………………………………

□□总的来说，……。我认为……，因此……。

12 写作

题目 有人说“有压力才能进步”。请谈谈你对这个观点的看法。

以下是一些人的观点：

- 没有压力，人会变得懒（lǎn）惰（duò），不思进取（jìn qǔ）。
- 压力可以变成动力。
- 运动员有了压力才能取得好成绩。
- 学生面对考试的压力才会努力学习。

你可以用

a) 现实生活中人们总会面对方方面面的压力。

b) 压力时时刻刻都在我们周围。

c) 有了压力，人才能走出自己的舒适圈。

d) 压力过大对健康不利。

e) 人的天性是懒惰的。没有压力，人会缺乏（quē fá）前进的动力。

f) 有了压力，人才有努力的方向。

g) 为了通过钢琴八级考试，我每天都练习。考试的压力使我更加努力，不断进步。

h) 如果能把压力变成动力，就可以不断进步。

汉字的六书

汉字是世界上使用时间最长、使用最广泛的文字之一。最早的汉字是商朝的甲骨文。汉字不是拼音文字，而是表意文字，是音、形、义的结合体。人们把汉字构成和使用的方法归纳成“六书”。六书是指：象形、指事、会意、形声、转注和假借。

象形属于“独体造字法”。象形字是按照事物的大致轮廓或外形特征描成的字，比如“日”“月”“山”“水”“马”“鱼”等。象形字和图画不同。象形字的字形相对固定，象征性比较强。

指事也属于“独体造字法”，是用抽象的符号表示意思，比如“上”“下”。再如在“木”下加一横，变成“本”，指树根。

会意属于“合体造字法”，是用两个或两个以上的字组成一个新字。比如“休”是一个人靠在树上，表示休息。再如“鸣”指鸟的叫声，由“口”和“鸟”组成。

形声也属于“合体造字法”。形声字由两个部分构成，一半表意，一半表音。比如“蝴”，左边是“虫”旁，表示意思，右边是“胡”，表示发音。百分之九十以上的汉字是形声字。

转注和假借不是汉字的构造方法，而属于用字法。这里就不多讲了。

A 写意思

1) 结合：________

2) 构成：________

3) 指：________

4) 特征：________

5) 象征：________

6) 抽象：________

B 归类

油 木 歌 月 字 人 羊 材 下 想 三 花		
象形字	指事字	形声字

C 判断正误

☐ 1) 会意是一种合体造字法，比如“休”字。

☐ 2) 形声也属于合体造字法，比如“城”字。

☐ 3)“钟”是形声字，左边表示意思，右边表示发音。

☐ 4) 绝大部分汉字是形声字。

☐ 5) 汉字的构成主要有三种方法：象形、指事和形声。

D 判断正误，并说明理由

	对	错
1) 汉字是世界上最古老的，也是使用人口最多的文字之一。		
______	___	___
2) 汉字集音、形、义为一体，是一种表意文字。		
______	___	___
3) 象形是一种独体造字法，造出来的字是可以拆开的。		
______	___	___
4) 根据事物的大致轮廓或外形特征，古人创造出了象形字。		
______	___	___

E 回答问题

“会意字”一般由几个部分组成？请举一个例子。

F 查一查

商朝是什么时候建立的？“日”和“月”的甲骨文什么样？

上寄宿学校

生词

❶ 议 (yì) discuss 会议 (huì yì) meeting

❷ 是否 (shì fǒu) whether

我们讨论了明年我是否该去国外上寄宿学校的问题。

❸ 离开 (lí kāi) leave

❹ 舍（捨）(shě) give up

你们舍不得我离开家。

▲ Grammar: a) "不得" serves as the complement of potential.
b) Pattern: Verb/Adjective + 不 + 得
Verb/Adjective + 得

❺ 令 (lìng) make; cause

你们担心读寄宿学校会令我远离家庭的温暖。

❻ 完全 (wánquán) completely

❼ 封 (fēng) a measure word ❽ 目的 (mù dì) purpose

❾ 考 (kǎo) verify ❿ 虑（慮）(lǜ) consider 考虑 (kǎo lǜ) consider

⓫ 阅 (yuè) experience 阅历 (yuè lì) experience

⓬ 甚至 (shèn zhì) even

⓭ 意想不到 (yì xiǎng bú dào) unexpected

读寄宿学校可以丰富我的生活阅历，甚至可能给我带来意想不到的机会。

⓮ 与（與）(yǔ) with ⓯ 自 (zì) from 来自 (lái zì) come from

⓰ 处 (chǔ) get along with 相处 (xiāng chǔ) get along with

⓱ 触（觸）(chù) contact 接触 (jiē chù) come into contact with

⓲ 如何 (rú hé) how; what

⓳ 交往 (jiāowǎng) associate with ⓴ 合作 (hé zuò) cooperate

㉑ 自理 (zì lǐ) take care of oneself

㉒ 律 (lǜ) discipline 自律 (zì lǜ) self-discipline

㉓ 成熟 (chéngshú) mature

㉔ 秀 (xiù) excellent 优秀 (yōu xiù) excellent

读寄宿学校可以培养我的自理能力和自律能力，让我变得更独立、更成熟、更优秀。

㉕ 当地 (dāng dì) local ㉖ 充分 (chōng fèn) sufficient

读寄宿学校可以为我上当地大学做好充分的准备。

㉗ 也许 (yě xǔ) probably ㉘ 适应 (shì yìng) adapt

㉙ 深信 (shēn xìn) believe strongly ㉚ 经历 (jīng lì) experience

㉛ 竞争 (jìngzhēng) compete

㉜ 终（終）(zhōng) whole 终生 (zhōngshēng) all one's life

我深信这段经历一定能提高我在各个方面的竞争力，会让我有很大收获，终生难忘。

㉝ 失 (shī) fail to achieve 失望 (shī wàng) disappointed

我向你们保证，我一定不会让你们失望的。

㉞ 恳（懇）(kěn) sincerely 恳求 (kěn qiú) beg sincerely

㉟ 过度 (guò dù) excessive

我恳求你们不要过度担心。

㊱ 同意 (tóng yì) agree

1 完成句子

1) 我今天写这封电邮的目的是希望你们再考虑一下上寄宿学校的事情。

_____ 目的是 _____。

2) 我恳求你们不要过度担心，同意我去上寄宿学校。

_____ 恳求 _____。

3) 也许开始时我会不太适应寄宿学校的学习和生活。

也许开始时 _____。

4) 我深信这段经历一定能提高我在各个方面的竞争力。

我深信 _____。

5) 我向你们保证，我会认真学习、照顾好自己，一定不会让你们失望的。

我向你们保证，_____。

6) 我认为上寄宿学校有很多好处。

我认为 _____ 好处。

2 听课文录音，做练习

A 回答问题

1) 父母为什么不同意他去上寄宿学校？

2) 他写这封电邮的目的是什么？

3) 为什么他觉得上寄宿学校可以扩大视野？

B 选择（答案不只一个）

1) 父母不让他上寄宿学校是因为 _____。

a) 不想让他离开家

b) 在寄宿学校可能交到坏朋友

c) 他中学毕业后不容易进入当地的大学

d) 担心他在学校没有家人的关爱

e) 担心他交不到新朋友

2) 他认为 _____。

a) 寄宿学校可能带来意想不到的机会

b) 跟来自各地的同学相处能开阔视野

c) 在寄宿学校学习和生活会令他更成熟

d) 他现在的自理能力和自律能力非常强

e) 父母应该让他出去经风雨、见世面

课文 

发件人：杨健 yangj1234@hotmail.com

收件人：杨树 ys88@gmail.com, 孙美 sm24@yahoo.com

主　题：上寄宿学校

日　期：2016年8月6日

亲爱的爸爸、妈妈：

你们好！

在家庭会议(huì yì)上，我们讨论了明年我是否(shì fǒu)该去国外上寄宿学校的问题。你们舍(shě)不得我离开(lí kāi)家，担心读寄宿学校会令(lìng)我远离家庭的温暖。我完全(wánquán)能理解你们的想法。

我今天写这封(fēng)电邮的目的(mù dì)是希望你们再考虑(kǎo lǜ)一下上寄宿学校的事情。我认为上寄宿学校有以下好处。

第一，读寄宿学校可以丰富我的生活阅历(yuè lì)，甚至(shèn zhì)可能给我带来意想不到(yì xiǎng bú dào)的机会。

第二，我可以与来自(yǔ lái zì)各地的同学相处(xiāngchǔ)，接触(jiē chù)到不同的文化，扩大视野。

第三，我可以学会如何(rú hé)与同学交往(jiāowǎng)，提高与人沟通、合作(hé zuò)的能力。

第四，读寄宿学校可以培养我的自理(zì lǐ)能力和自律(zì lǜ)能力，让我变得更独立、更成熟(chéngshú)、更优秀(yōu xiù)。

第五，读寄宿学校可以为我上当地(dāng dì)大学做好充分(chōngfèn)的准备。

也许(yě xǔ)开始时我会不太适应(shì yìng)寄宿学校的学习和生活，但是我深信(shēn xìn)这段经历(jīng lì)一定能提高我在各个方面的竞争(jìngzhēng)力，会让我有很大收获，终生(zhōng shēng)难忘。

我向你们保证，我会认真学习、照顾好自己，一定不会让你们失望(shī wàng)的。我恳求(kěn qiú)你们不要过度(guò dù)担心，同意(tóng yì)我去上寄宿学校。

祝好！

儿子

3 用所给结构及词语写句子

1) 在家庭会议上，我们讨论了明年我是否该去国外上寄宿学校的问题。 → 是否　取消

2) 你们舍不得我离开家。 → 舍不得　外国

3) 读寄宿学校可以丰富我的生活阅历，甚至可能给我带来意想不到的机会。 → 甚至　压力

4) 在寄宿学校的这段经历一定会让我有很大收获。 → 让　认识

4 小组讨论

话题 1　读寄宿学校可能遇到什么困难？

例子：

同学 1：远离家庭的温暖，我可能会感到孤单、无助。我从来都没有离开过家，开始时一定会不适应，但是我应该慢慢就可以适应一个人生活了。

同学 2：父母不在身边，如果遇到困难，可能没人帮助我。

同学 3：你的朋友、同学不能帮助你吗？

……

话题 2　应该如何适应寄宿学校的生活？

例子：

同学 1：去寄宿学校以前要学会独立，学习做一些简单的家务，比如洗衣服、整理房间等。

同学 2：跟同学同住一间宿舍，要学会如何与人相处。如果有问题，要很好地与人沟通，要互相理解。

同学 3：如果去英语国家留学，要先把英语学好。语言过关了，不但学习其他课程会容易一些，还能更好地适应新生活。

……

你可以用

a) 我应该学会独立生活，不能像以前一样，什么事情都靠父母。

b) 在寄宿学校，如果学习上遇到困难，可以找老师或同学帮忙。

c) 有电脑和智能手机，如果我想家了，可以很方便地跟家人联络。

d) 要提高自律能力，自己管好自己的学习。

e) 选课时，要多听老师和同学的建议，之后再自己做决定。

f) 如果遇到困难，要自己想办法解决。

5 完成句子

1) 我完全能理解________________。
2) 我希望你们________________。
3) 与来自各地的同学相处，我可以________________。
4) 我可以学会如何与同学交往，________________。
5) 读寄宿学校可以让我变得________________。
6) 读寄宿学校可以为我________________。

6 角色扮演

情景 看了儿子的信以后，爸爸、妈妈和儿子又开了一次家庭会议，讨论儿子的想法，并做出决定是否让儿子去国外读寄宿学校。

例子：

爸爸： 我和你妈妈看过你的信了。我们了解你的想法了。首先，我们，特别是你妈妈，很舍不得你离开家。

妈妈： 你从小到大从来都没离开过家。我很担心。如果你生病了，没有人照顾，怎么办呢？如果学校食堂的饭菜不合你的口味，怎么办呢？你平时吃东西很挑剔(tiāo ti)，很可能不习惯食堂的饭菜。

儿子： 我知道你们很爱我。你们不放心我一个人去国外读书、生活，我完全能理解。但是我觉得你们过度担心了。我已经长大了，有能力照顾好自己。在学习上，我也养成了自律的好习惯。我觉得你们应该让我出去经风雨、见世面。

……

你可以用

a) 你一个人在外面，如果遇到困难或者不开心的事，我们帮不了你。

b) 我们还担心你交到不好的朋友，受到坏的影响。

c) 我不在你身边，你要照顾好自己的饮食起居。

d) 别担心，学校的老师会关心我们。他们对学生就像对自己的孩子一样。

e) 有电脑和智能手机，我们可以随时联络。

7 阅读理解

华中学校招生简章(zhāo shēng jiǎn zhāng)

华中学校位于西安市中心，是一所拥(yōng)有二十五年历史，有小学、初中和高中的一条龙私立(sī lì)寄宿学校。华中学校办学条件优越，师资力量雄厚(shī zī lì liàng xióng hòu)，教学质量一流，现有近八百名在校学生。学校开设国际文凭(wén píng)课程，课程丰富，选择多样。除此之外，学校还提供多种课外活动，可以满足(mǎn zú)学生的不同需求(xū qiú)。关于学校详情(xiáng qíng)，请浏览学校网站：www.huazhong.com.cn

招生范围(fàn wéi)：面向全国招收小学、初中、高中各年级学生，不受地区、户口限制(xiàn zhì)。

报名时间：三月一日即(jí)可报名。

招生对象(duì xiàng)：五岁以上适龄(shì líng)儿童及各年级插(chā)班生。

报名方式：

1 直接(zhí jiē)到学校报名。预约(yù yuē)电话：13959651359（周老师）。

2 登录(dēng lù)学校网站下载、填写并提交报名表格。邮箱：zhoukexin@gmail.com（周老师）。

3 所需材料：护照/身份证复印件一份、照片两张、现就读学校成绩报告单以及个人陈述(chén shù)。

收费：报名费￥2000。如未录取(lù qǔ)，不设退还(tuì huán)。

A 写意思

1) 满足：________

2) 限制：________

3) 预约：________

4) 登录：________

B 选择（答案不只一个）

华中学校 ____。

a) 有三十多年历史

b) 的老师都很年轻

c) 没有幼稚园

d) 教授国际文凭课程

e) 为学生提供的课外活动不多

f) 也收插班生

g) 的老师都很优秀

h) 会退还未被录取学生的报名费

C 回答问题

1) 北京市的孩子能报考这所学校吗？

2) 报名方式有哪几种？

D 学习反思

“个人陈述”一般包括哪些内容？

tí qián liú xué

提前留学

近些年，出国留学的人数不断(bú duàn)增加，留学生的年龄还出现(chū xiàn)了低龄化趋势(qū shì)。很多中学生的父母投资(tóu zī)几十万甚至上百万，送子女去国外留学。我个人非常支持中学生留学。

首先，中学生有自己的优势。中学生的外语学习能力很强。人的外语学习能力随年龄的增长而减弱(jiǎn ruò)。中学阶段正是学外语的黄金时段(shí duàn)。中学生适应周围环境的能力也很强。尤其(yóu qí)是语言不成问题时，他们更容易融入(róng rù)所处的新环境。

其次，国外的学校比较重视素质(sù zhì)培养，注重全面发展，不以成绩的高低来评定(píng dìng)学生的能力。国内的学校，很多都过于重视学生的考试成绩。

虽然中学生年龄还小，独立生活的能力不强，但是出国留学可以给他们提供一个锻炼的机会，使他们更独立、更成熟，提高自理能力和自律能力。

总之(zǒng zhī)，我赞成(zàn chéng)中学生提前出国留学。提前留学既能学好外语，又能了解不同的文化，还可以提高自理能力，一举多得。

A 写意思

1) 出现：________

2) 投资：________

3) 减弱：________

4) 融入：________

5) 评定：________

6) 赞成：________

B 配对

- ☐ 1) 近几年，出国留学的人数
- ☐ 2) 很多父母愿意花很多钱
- ☐ 3) 国外的学校比较注重
- ☐ 4) 出国留学对中学生来说

a) 让孩子去国外读书。
b) 一年比一年多。
c) 是一种锻炼。
d) 很难融入当地的环境。
e) 学生的全面发展。

C 判断正误，并说明理由

	对	错
1) 现在留学生的年龄越来越小了。		
____________________	____	____
2) 国外的学校会从多方面评定学生。		
____________________	____	____
3) 中学生提前出国留学只有一个好处：能学好外语。		
____________________	____	____

D 回答问题

1) 为什么中学生在外语学习方面有优势？

2) 除了外语学习方面，中学生出国留学还有哪些优势？

3) 为什么一些学生考不上国内的大学，但可能被国外的大学录取？

E 学习反思

假设父母现在让你去国外提前留学，你会去吗？为什么？

F 学习要求

学会表达一种观点，掌握三个句子、五个词语。

美国游学团

王：大家好！我是王月。近几年，中学生去海外游学越来越流行。今天，我们请来了海外教育咨询(zī xún)公司的刘小姐。她将为大家介绍一下美国的游学团。

刘：现在美国游学团很火爆(huǒ bào)。今年美国政府给中国增加了十万个游学名额(míng é)。

王：请您给我们介绍一下热门的游学团。

刘：我们公司的“全美游学团”最受欢迎。这个游学团的理念(lǐ niàn)是：读万卷书、行万里路。在暑假的两个月里，游学团的团员会去五所世界顶级(dǐng jí)大学学习、生活。这些大学的师资和教学质量都非常有保证。这种游学也可以说是一个“微(wēi)留学”。

王：这种游学有什么好处呢？

刘：参加这个游学团，团员可以实地考察(kǎo chá)学校，看看真实的美国大学生活。我们还会安排校方代表、美国学生与团员进行交流、互动。这种体验能帮助团员决定以后是否要去留学，也能激励(jī lì)他们努力学习。

王：这个“全美游学团”听起来挺不错的。

刘：是的。为了让团员有更好的体验，每个游学团的人数都不超过四十人。每个游学团都由(yóu)三到五位经验丰富的老师陪同(péi tóng)，保障(bǎo zhàng)学生的安全。我们公司包办签证(bāo bàn qiān zhèng)，还负责安排团员在美国的食宿和交通。

A 选择

1) “火爆”的意思是 ____。

a) 很受欢迎　b) 很不看好

c) 没人过问　d) 奇缺

2) “顶级”的意思是 ____。

a) 初级　b) 一流

c) 重要　d) 一条龙

3) “微留学”的意思是 ____。

a) 在中国学美国课程　b) 远程课程

c) 正式留学前的留学体验　d) 在家自学

4) “真实”的意思是 ____。

a) 从杂志上看来的　b) 别人介绍的

c) 自己亲眼看到的　d) 听朋友说的

B 判断正误，并说明理由

	对	错
1) 今年比去年多了十万个去美国游学的名额。 ________________________________	____	____
2) 每个游学团的人数都在四十个左右。 ________________________________	____	____
3) 海外教育咨询公司只为学生安排在美国的食宿。 ________________________________	____	____

C 回答问题

1) 在暑假的两个月里，参加全美游学团的学生会做些什么？

2) 参加游学团有什么好处？

3) 游学团怎样保证学生的安全？

D 学习反思

你打算参加游学团吗？你想去哪里游学？为什么？

E 学习要求

学会表达一种观点，掌握三个句子、五个词语。

10 根据实际情况回答问题

1) 你现在就读的学校是国际学校还是本地学校？你在本地学校学习过吗？

2) 你现在就读的学校是走读学校还是寄宿学校？你上过寄宿学校吗？

3) 你想去国外读寄宿学校吗？为什么？

4) 你打算在你住的城市或地区读大学还是去别的地方读大学？为什么？

5) 你支持中学生提前留学吗？为什么？

6) 你们学校的同学来自哪些国家或地区？你能接触到哪些不同的文化？

7) 你在假期里参加过游学团吗？请介绍一下你的经历。

8) 你了解别的国家的文化吗？你对哪个国家的文化比较了解？

9) 你的自理能力和自律能力强吗？请举例说明。

10) 与同龄人相比，你在哪些方面比较有竞争力？

11) 你令父母或老师失望过吗？请讲一讲发生了什么事。

12) 你恳求父母为你做过什么事？他们答应了吗？

11 成语谚语

A 成语配对

☐ 1) 扬(yáng)长避短	a) 指要求的标准(biāozhǔn)很高，但实际上自己也做不到。
☐ 2) 对牛弹琴	b) 发扬(fā yáng)优点长处，回避(huí bì)缺点短处。
☐ 3) 事倍(bèi)功半	c) 事先有准备，就可以避免祸患(bì miǎn huò huàn)。
☐ 4) 眼高手低	d) 比喻对不懂道理的人讲道理，白费力气。
☐ 5) 有备无患(huàn)	e) 做事花费多而得到的效果小。

B 中英谚语同步

1) 不学无术。 Learn not and know not.

2) 一分耕耘(gēng yún)，一分收获(shōu huò)。 No pains, no gains.

3) 种瓜得瓜，种豆得豆。 As a man sows, so he shall reap.

12 文体

非正式电邮格式

发件人：XX ming.li@gmail.com

收件人：XXX jiawen.wang123@hotmail.com

主题：…………

日期：xx 年 xx 月 xx 日

亲爱的 XXX：

□□你好！…………………………………………………………………

□□…………………………………………………………………………

祝好！

XX

13 写作

题目 你听说姨妈和表弟正在讨论去国际学校还是去本地学校上中学的问题。请给姨妈写一封电邮，谈谈你的观点。

以下是一些人的观点：

- 国际学校的课程比较丰富，可以根据自己的兴趣选择学习科目。
- 在国际学校学习可以扩大国际视野。
- 在国际学校可以跟来自不同地方的同学相处。
- 国际学校的课程比较轻松，不太重视基础知识的学习。

你可以用

a) 尽早接触不同的文化可以扩大国际视野，为将来成为国际人才打好基础。

b) 国际学校的学费比本地学校的高得多。

c) 去了国际学校，中文水平可能会受影响。

d) 国际学校的师生流动性较大，不稳定（wěndìng）。

c) 在国际学校学习可以丰富人生阅历，增加见闻。

f) 在国际学校学习和生活，你会变得更独立，你的自理能力会更强。

g) 在国际学校，有些基础知识要自学，或者请家教补习。

大书法家王羲之

中国的书法是一门古老的艺术。它是中华民族的文化瑰宝，在世界文化艺术宝库中也是独一无二的。中国的书法是汉字的独特表现，因此被称为“无言的诗、无形的舞、无图的画、无声的乐”。也有人说中国的书法有表情、体态和灵性。

说到书法，很多人都会想到伟大的书法家、书圣——王羲之。王羲之（公元 303 年— 361 年）出身于东晋时期的一个书法世家。他从小就刻苦练习书法。在他居住的地方，书房里、院子里，甚至厕所的外面，到处都摆放着笔、墨、纸、砚，方便他随时练习。后来，他的书法取得了很高的成就，影响了世代的书法爱好者。

《兰亭序》是王羲之的代表作。东晋时期有一个风俗：阴历三月三日，人们要去河边游玩。公元 353 年，王羲之约了一些文人在兰亭一边喝酒一边作诗。之后，大家把诗收集在一起，让王羲之写了一篇序言。王羲之为诗集写的《兰亭序》共 28 行，324 个字。据说《兰亭序》中共有 20 个“之”字，每个“之”字的写法都不同。

A 选择

1)“瑰宝”的意思是 ____。

a) 金银财宝　b) 宝石

c) 贵重、美丽的宝物

2)“独一无二”的意思是 ____。

a) 第二名　b) 唯一

c) 其他

B 判断正误

☐ 1) 书法是中国，也是世界的文化瑰宝。

☐ 2) 王羲之是中国伟大的书法家，被称为书圣。

☐ 3) 王羲之家是书法世家。

☐ 4) 王羲之的代表作《兰亭序》对世代的书法爱好者产生了深刻的影响。

☐ 5) 每年阴历三月三日王羲之都会邀请朋友一起喝酒、作诗。

☐ 6)《兰亭序》共二十八行，近三百个字。

C 判断正误，并说明理由

	对	错
1)《兰亭序》是王羲之为诗集写的序言。		
____________________	____	____
2) 在《兰亭序》中有二十个写法不同的“之”字。		
____________________	____	____

D 回答问题

写毛笔字要用什么文具？

E 学习反思

1) 上网找王羲之的书法作品。从王羲之的书法作品中，你能看出它的表情、体态和灵性吗？

2) 你觉得中国的书法美吗？

F 学习要求

学会表达一种观点，掌握三个句子、五个词语。

穿校服的好处

生词 

❶ 尊 (zūn) respect ❷ 敬 (jìng) respect 尊敬 (zūnjìng) honorable

❸ 得体 (détǐ) appropriate

我校有些学生穿得很不得体。我和一些同学都看不下去了。

▲ Grammar: a) "不下去" serves as the complement of potential.
b) Pattern: Verb + 得 / 不 + Complement of Direction

❹ 此 (cǐ) now; here

❺ 代 (dài) take the place of 代表 (dàibiǎo) represent

在此，我代表大家向您提出让学生穿校服的建议。

❻ 挑 (tiāo) choose 挑选 (tiāoxuǎn) choose ❼ 根本 (gēnběn) entirely

学生根本就不用花时间考虑穿衣问题。

❽ 身份 (shēnfèn) identity

❾ 征（徵）(zhēng) evidence 象征 (xiàngzhēng) symbol

校服是学生的身份象征。

❿ 归（歸）(guī) belong to 归属 (guīshǔ) belong to

穿校服能使学生有一种归属感。

⓫ 约 (yuē) restrict ⓬ 束 (shù) restrict 约束 (yuēshù) restrain

穿校服对学生来说是一种约束。

⓭ 意识 (yìshi) consciousness 下意识 (xiàyìshi) subconsciously

⓮ 留意 (liúyì) beware of ⓯ 言行 (yánxíng) words and deeds

⓰ 举 (jǔ) act; deed 举止 (jǔzhǐ) manner

穿校服时学生会下意识地留意自己的言行举止。

⓱ 防止 (fángzhǐ) prevent

⓲ 攀 (pān) climb 攀比 (pānbǐ) compare with and try to follow

穿校服可以防止学生互相攀比。

⓳ 平等 (píngděng) equal ⓴ 分心 (fēnxīn) distract ㉑ 展现 (zhǎnxiàn) display

㉒ 于 (yú) to; for

反对穿校服的人认为这样不利于展现个性。

㉓ 观 (guān) view 观点 (guāndiǎn) viewpoint ㉔ 看 (kàn) consider 看法 (kànfǎ) view

㉕ 而 (ér) while

对于这个观点，我的看法是学生星期一到星期五穿校服，而周末就可以穿自己喜爱的衣服了。

▲ Grammar: a) "而" and "但" are different.
b) "但" indicates transition. "而" indicates contrast.

㉖ 空间 (kōngjiān) space ㉗ 自我 (zìwǒ) oneself

㉘ 审（審）(shěn) comprehend 审美 (shěnměi) appreciation of beauty

学生还是有足够的空间展现自我、培养审美能力的。

㉙ 感谢 (gǎnxiè) be thankful ㉚ 听取 (tīngqǔ) listen to

非常感谢您听取我们的建议。

㉛ 谈（談）(tán) talk ㉜ 将 (jiāng) will

㉝ 胜 (shèng) bear 不胜 (búshèng) extremely

㉞ 激 (jī) (feeling) stirred or moved 感激 (gǎnjī) feel grateful

如果有机会跟您细谈，我将不胜感激。

㉟ 致 (zhì) extend 此致 (cǐzhì) here I wish to convey

㊱ 敬礼 (jìnglǐ) salute

此致敬礼 (cǐzhì jìnglǐ) with best wishes

1 完成句子

1) 最近一段时间，我校有些学生穿得很不得体。

最近一段时间，＿＿。

2) 在此，我代表大家向您提出让学生穿校服的建议。

在此，我代表＿＿。

3) 穿校服能使学生有一种归属感。

＿＿使＿＿。

4) 如果穿校服，学生根本就不用花时间考虑穿衣问题。

如果＿＿，＿＿根本＿＿。

5) 穿校服对学生来说是一种约束。

＿＿对＿＿来说＿＿。

6) 如果有机会跟您细谈，我将不胜感激。

＿＿，我将不胜感激。

2 听课文录音，做练习

A 回答问题

1) 王清月在信中提出了什么建议？

2) 为什么穿校服可以防止学生互相攀比？

3) 王清月希望校长做什么？

B 选择（答案不只一个）

1) 王清月提出学生应该穿校服的理由有＿＿。
   a) 如果不穿校服，学生早上有大把时间挑衣服
   b) 穿校服能使学生有归属感
   c) 穿校服会让学生更注意自己的行为举止
   d) 穿校服让学生不能集中精力学习
   e) 学生课外时间也不可以穿自己喜欢的衣服

2) 反对穿校服的人认为穿校服＿＿。
   a) 有利于培养学生的审美能力
   b) 使学生没有足够的空间展现自我
   c) 不利于学生展现个性
   d) 让学生不能互相攀比了
   e) 让学生不能挑选衣服了

课文 

尊敬(zūn jìng)的王校长：

您好！

我是十一年级的学生王清月。我写这封信是想向您建议让我校学生穿校服。

最近一段时间，我校有些学生穿得很不得体(dé tǐ)。我和一些同学都看不下去了。在此(cǐ)，我代表(dài biǎo)大家向您提出让学生穿校服的建议，主要有以下五个理由。

第一，学生早上起床后没有太多时间挑选(tiāo xuǎn)衣服。如果穿校服，学生根本(gēn běn)就不用花时间考虑穿衣问题，既省时又方便。

第二，校服是学生的身份象征(shēn fèn xiàng zhēng)。穿校服能使学生有一种归属(guī shǔ)感。

第三，穿校服对学生来说是一种约束(yuē shù)。穿校服时学生会下意识(xià yì shi)地留意(liú yì)自己的言行举止(yán xíng jǔ zhǐ)。

第四，穿校服可以防止(fáng zhǐ)学生互相攀比(pān bǐ)。每个人都穿一样的衣服，是平等(píngděng)的。

第五，穿校服可以让学生少分心(fēn xīn)，集中精力学习。

反对穿校服的人认为这样不利于(yú)展现(zhǎnxiàn)个性。对于这个观点(guāndiǎn)，我的看法(kàn fǎ)是学生星期一到星期五穿校服，而(ér)周末就可以穿自己喜爱的衣服了。学生还是有足够的空间(kōngjiān)展现自我(zì wǒ)、培养审美(shěnměi)能力的。

非常感谢(gǎn xiè)您听取(tīng qǔ)我们的建议。如果有机会跟您细谈(tán)，我将不胜感激(jiāng bú shèng gǎn jī)。

此致(cǐ zhì)

敬礼(jìng lǐ)！

学生：王清月

10 月 5 日

3 小组讨论

话题 1 穿校服有什么好处？

例子：

同学 1：学生上学前不用花时间挑选衣服。他们穿上校服就可以出门了，既省时又方便。

同学 2：你说得对。校服还是学生的一种身份象征。穿校服能令学生有归属感。

同学 3：除此之外，穿校服对学生来说也是一种约束。穿校服的时候学生会下意识地留意自己的言行举止。

……

话题 2 穿校服有什么坏处？

例子：

同学 1：每个学生都穿一样的衣服，可能会影响学生审美能力的培养。

同学 2：我也是这么想的。另外，学生穿校服还不利于展现个性。每个人都有不同的个性，衣服可以帮人们展现自我。如果人人都穿校服，学校这个“小社会”就不精彩了。

同学 3：校服的颜色一般都很单调、款式也不时尚，穿起来不太好看。

……

你可以用

a) 如果学校有集会，学生穿了校服看起来很整齐。

b) 每个人都穿一样的衣服，学生之间就不会攀比了。那些经济条件好的学生不会有优越感，经济条件不太好的学生压力也会小一些。

c) 学生穿校服也可以省一些钱，因为校服比一般的衣服便宜。

d) 有时候校服的尺寸不合身，所以很多学生都不喜欢穿校服。

e) 家长一般会给孩子买大一号的上衣和裤子。也就是说很多学生穿的校服都不合身，这让他们更不喜欢穿校服了。

f) 长得比较高大的高年级学生还穿着校服，会让人觉得有点儿幼稚。

4 用所给结构及词语写句子

1) 我校有些学生穿得很不得体。我和一些同学都看不下去了。 → 看不下去　言行

2) 反对穿校服的人认为这样不利于展现个性。 → 不利于　合作

3) 对于这个观点，我的看法是学生星期一到星期五穿校服，而周末就可以穿自己喜爱的衣服了。 → 而　中餐

4) 学生还是有足够的空间展现自我、培养审美能力的。 → 还是　联系

5 角色扮演

情景　校长、家长代表王太太、老师代表李老师跟王清月一起开会，讨论学生穿校服的建议。

例子：

校长： 谢谢大家来参加会议。我们今天要讨论一下学生穿校服的建议。

王太太： 我代表家长向你们表达对学生穿校服这个建议的看法。大部分家长都支持学生穿校服，但是也有一些高年级的学生家长反对。

李老师： 作为老师，我觉得低年级的学生应该穿校服，高年级的学生不穿校服也可以。

王清月： 我同意李老师的意见。

校长： 看来大家都认为我校的低年级学生应该穿校服。如果高年级的学生可以不穿校服，我们是不是对他们穿什么衣服来上学也要有一些要求呢？他们不能喜欢穿什么就穿什么。

……

你可以用

a) 校服的款式和颜色要适合不同年级的学生。

b) 校服的价钱也不贵，比自己买衣服便宜得多。

c) 如果允许(yǔn xǔ)高年级的同学穿自己喜爱的衣服来上学，学校要规定哪些衣服是不适合在校园里穿的。

d) 穿来上学的衣服一定要得体。学生不能穿太短的裙子或者拖(tuō)鞋(xié)来学校。

e) 如果穿的衣服不得体，学生容易分心，很难集中精力学习。

6 阅读理解

学校守则及校规

1) 尊重老师、同学，对人有礼貌。
2) 禁止讲粗话，禁止打骂、欺凌同学，禁止一切网络欺凌。
3) 除非有特殊要求，在校期间要穿校服。
4) 禁止迟到、早退、旷课。
5) 因病、因事请假，需家长证明。
6) 禁止考试作弊。
7) 禁止抽烟、喝酒、吸毒。
8) 禁止偷窃。

对违反校规学生的处理方式

1) 第一时间报告班主任，给予口头警告。
2) 中午留堂，或者星期五放学后留校。
3) 如果有必要，通知年级负责人，给予严重警告。
4) 如果事情严重，联系家长，共同找学生谈话。
5) 如果是特殊事件，校长可以直接介入处理。
6) 屡教不改的学生将被留校查看。
7) 严重违反校规的学生将被劝退，或被劝转学。
8) 学校保留开除学生的权利。

回答问题

假设你是班主任，以下违反校规的情况，你会怎样处理？

1) 一个学生连续迟到三次。你第一次和第二次都口头提醒他不能再迟到了。今天他又迟到了。

2) 一个学生在汉语单元测验时作弊。

3) 一个男同学在网上欺凌班上的新生。

4) 一个女同学吸毒。

怎样表扬孩子

中国的家长很少当面表扬孩子，因为他们担心孩子受到表扬后会骄傲(jiāo ào)。实际上，孩子是需要当面表扬和鼓励的。在何时何地、用什么方式表扬孩子能收到更好的效果(xiào guǒ)呢？以下是几位家长的建议。

家长 1：表扬要及时。要当场肯定(kěn dìng)孩子的优点和成绩。之后再表扬孩子，效果会大打折扣(zhé kòu)。

家长 2：尽量(jǐn liàng)不要在同龄人面前表扬孩子，否则孩子容易形成骄傲自满、爱出风头的性格。

家长 3：对不同年龄、性别、性格的孩子要用不同的方式表扬。除了口头称赞(chēng zàn)，还可以用其他方式，例如拥抱(yōng bào)、微笑(wēi xiào)、点头等。

家长 4：表扬要对事不对人。要肯定孩子做的事，这样孩子今后还会这样做。

家长 5：要表扬孩子的努力而不是结果，这样孩子下一次会继续努力。

家长 6：对孩子的每一点进步都要表扬。要鼓励他们继续朝(cháo)着好的方向努力。

总之，表扬孩子是一门艺术。适当的时间、适当的场合、适当的表扬方式有利于孩子的健康成长。

A 写意思

1) 表扬：____________

2) 骄傲：____________

3) 效果：____________

4) 称赞：____________

5) 拥抱：____________

6) 微笑：____________

B 选择

1)“当场”的意思是 ____。

a) 场景

b) 场地

c) 当天发生的人和事

d) 在事情发生的地方、时候

2)“出风头”的意思是 ____。

a) 外向

b) 爱说大话

c) 跟着风向走

d) 出头露面显示自己

C 选出四个正确的句子

家长表扬孩子的正确方式是 ____。

a) 在别的孩子的面前表扬自己的孩子

b) 孩子做对了事就马上表扬

c) 不同性格的孩子用不同的方式表扬

d) 如果孩子考试成绩有进步就马上鼓励、表扬

e) 即使孩子只取得了一点儿进步也要表扬

f) 如果孩子考试不及格，应该先责骂，然后再教育

g) 一定要口头称赞孩子

h) 如果孩子很努力，但还是没成功，就不要表扬了

D 回答问题

1) 在同龄人面前表扬孩子可能会有什么后果？

2) 除了口头称赞以外，还可以通过哪些方式表扬孩子？

3) 家长为什么要重视表扬孩子的艺术？

E 学习反思

你父母一般用什么方式表扬你？你喜欢他们的表扬方式吗？

F 学习要求

学会表达一种观点，掌握三个句子、五个词语。

8 阅读理解

为学习国际文凭课程中文科做准备

各位同学：

大家好！

我是中文系主任田老师。你们将要读国际文凭课程中文科。中文科的学习不容易，我先给大家打打预防针。

第一，学语言离不开记忆。大家可能不太擅长(shàncháng)背诵(bèi sòng)，缺乏(quē fá)背诵的习惯。从现在起大家要加强(jiā qiáng)对记忆力的训练。

第二，国际文凭课程中文科的难度远远高于中学会考。每课都有大量的内容。虽然很辛苦(xīn kǔ)，但是请相信，只要坚持每天都记汉字、生词和句型(jù xíng)，你的汉语水平一定会慢慢提高，达到(dá dào)中文科的要求。

第三，要做好吃苦的准备。大家要有思想准备，今后两年的大部分时间都将用于学习。每天的功课、复习和各种活动都会排得满满的。只要挺过这一非常时期，到了大学，你会觉得大学一年级的课程简直(jiǎn zhí)是小菜一碟(dié)。

第四，要把时间用在刀刃(rèn)上。大家将慢慢认识到时间是世界上最宝贵的财富(cái fù)。你要牺牲(xī shēng)一些社交生活，不能像以前一样，花大量时间跟朋友闲聊、逛街、看电影了。

第五，现代社会的竞争越来越激烈。只有有了知识、本领(běn lǐng)，才能适应这个竞争激烈的世界。

我的话讲完了。谢谢大家！

A 写意思

1) 擅长：__________

2) 背诵：__________

3) 缺乏：__________

4) 加强：__________

5) 达到：__________

6) 牺牲：__________

B 选择

1)“给大家打打预防针”的意思是____。

a) 读了国际文凭中文科后就知道了　b) 关于中学会考的考试

c) 上了高中后学生会经常生病　d) 事先提醒大家

2)“国际文凭课程中文科的难度远远高于中学会考”是说国际文凭课程中文科____。

a) 比中学会考难多了　b) 跟中学会考的难度差不多

c) 不比中学会考难　d) 不能跟中学会考比

3)“简直是小菜一碟”的意思是大学一年级的课程____。

a) 会很难　b) 跟国际文凭课程的难度一样

c) 很容易　d) 比国际文凭课程难得多

4)“把时间用在刀刃上”的意思是学生应该____。

a) 在学业上多花时间　b) 在社交生活上多花时间

c) 牺牲学习时间　d) 花很多时间跟朋友闲聊、逛街

C 选出四个正确的句子

田老师告诉将要读国际文凭课程中文科的学生____。

a) 学语言不能不背诵，要多记生词和句型

b) 要训练、提高自己的记忆力

c) 中学会考的词汇量和国际文凭课程的差不多

d) 语言水平的提高是日积月累的，只要坚持，就一定能达到中文科的要求

e) 他们需要花大量时间学习，而不用参加任何活动

f) 只有有知识、有本事的人才有竞争力

D 学习反思

1) 你同意“学语言离不开记忆”的观点吗？你有哪些学中文的好方法？

2) 你的时间是否都用在刀刃上了？你可以怎样更好地管理时间？

E 学习要求

学会表达一种观点，掌握三个句子、五个词语。

9 根据实际情况回答问题

1) 你赞成中学生穿校服吗？为什么？

2) 你觉得家长支持子女穿校服吗？为什么？

3) 你父母希望你穿校服吗？

4) 你们学校的学生要穿校服吗？几年级的学生不用穿校服？

5) 你们学校的学生喜不喜欢穿校服？为什么？

6) 你们学校的体育课、戏剧课等科目有着装要求吗？

7) 你追求(zhuī qiú)名牌衣服、鞋帽吗？你喜欢哪些牌子的衣服、鞋帽？

8) 你的同学互相攀比吗？他们攀比什么？

9) 你的审美能力怎么样？你平时怎样培养自己的审美能力？

10) 你在学校和家里有足够的空间展现自我吗？你怎样展现自己的个性？

11) 你平时留意自己的言行举止吗？请举例说明。

12) 你给校长写过信或电邮吗？你跟校长谈过话吗？请讲一讲你的经历。

10 成语谚语

A 成语配对

☐ 1) 眉(méi)开眼笑	a) 指大家说的都一样。
☐ 2) 异口同声	b) 指想法不切实际，非常奇怪。
☐ 3) 包罗万象	c) 喜欢得舍不得放手。
☐ 4) 爱不释(shì)手	d) 形容高兴愉快的样子。
☐ 5) 异想天开	e) 内容丰富，应有尽有。

B 中英谚语同步

1) 光阴似(sì)箭(jiàn)，日月如梭(suō)。 Time flies.

2) 岁月不待人。 Time and tide wait for no man.

3) 一寸光阴一寸金，寸金难买寸光阴。 Time is money.

11 文体

正式书信格式

尊敬的 xx 校长 / 老师：

□□您好！

□□我是……。我给您写这封信是想……………………………………

□□………………………………………………………………………

□□非常感谢您…………………。……………………，我将不胜感激。

□□此致

敬礼！

学生：xx

xx 年 xx 月 xx 日

12 写作

题目 学校各方最近在讨论是否要分快慢班。请给校长写一封信，谈谈你的看法。

以下是一些人的观点：

- 快班的同学可能会自我感觉特别好。
- 慢班的同学可以把进入快班当成目标（mù biāo）。
- 慢班的同学学习会更有目标。
- 分了快慢班有利于老师教学与学生学习。

你可以用

a) 我代表同学们向您提出分快慢班的建议。

b) 快班的同学不用为了等水平较低的同学而放慢学习速度。

c) 快班的同学可以多学一点儿、多练一点儿。

d) 家长不会愿意看到自己的孩子分到慢班。

e) 慢班的同学会觉得压力很大，还可能会没有信心。

f) 分到慢班的同学会认真思考如何学得更好。

g) 应该鼓励老师分层教学，而不是把学生分成快慢班。

h) 应该尊重学生、保护学生的自信心，不应该分快慢班。

中国传统的家庭教育

中国自古就十分重视家庭教育。中国人常常以有没有教养(jiàoyǎng)来评定一个人。中国传统的家庭教育主要有以下几个特点。

1) 把对孩子行为(xíng wéi)习惯、思想品德(pǐn dé)的教育放在第一位。中国人认为良好的思想品德是做人、立世的根本。因此，家庭教育的核心(hé xīn)是教子做人。

2) 要求子女要孝顺。赡养(shànyǎng)父母是子女的道德责任。子女有义务报答父母的养育之恩。

3) 要求子女不要依赖祖辈(zǔ bèi)的地位(dì wèi)和财产(cái chǎn)，而要通过自己的努力去争取社会地位和前途(qián tú)。

4) 要求子女工作上要勤奋(qín fèn)、努力，生活上要俭朴(jiǎn pǔ)，不奢侈(shē chǐ)。

5) 主张对子女的教育要严格。中国人认为，娇生惯养会害了孩子，对孩子的成长非常不利。

6) 主张尽早开始对孩子的教育。中国很早就开始重视胎教(tāi jiào)，把胎教作为家庭教育的起点和重要内容。

7) 强调(qiángdiào)对孩子的早期培养和教育。人们常说："不能让孩子输(shū)在起跑线上。"

8) 强调家庭环境、风气对子女的影响。父母要以身作则(yǐ shēn zuò zé)，给孩子做出好榜样(bǎng yàng)。

A 写意思

1) 教养：__________

2) 行为：__________

3) 品德：__________

4) 地位：__________

5) 财产：__________

6) 榜样：__________

B 选择

1)“自古”的意思是 ____。
a) 古时候 b) 古代
c) 从古代开始

2)“立世”的意思是 ____。
a) 跟人相处 b) 跟人打交道
c) 在社会上生存

3)“核心”的意思是 ____。
a) 中心 b) 思想 c) 理念

4)“以身作则”的意思是 ____。
a) 例子 b) 比如 c) 用自己的行动做出榜样

C 配对

- ☐ 1) 中国家长教育孩子要孝顺，
- ☐ 2) 孩子应该通过自己的奋斗
- ☐ 3) 中国家庭希望孩子有
- ☐ 4) 中国人认为溺爱孩子
- ☐ 5) 中国家庭教育孩子

a) 节约、勤俭的美德。
b) 要勤奋、努力，去创造财富。
c) 会害了他们，对他们没有好处。
d) 父母年纪大了需要赡养父母。
e) 在社会上争得一席之地。

D 判断正误，并说明理由

	对	错
1) 中国人一向很重视家庭教育。 ________________	____	____
2) 中国人非常重视孩子行为习惯和思想品德的教育。 ________________	____	____
3) 中国人认为高尚的品德是做人、做事的根本。 ________________	____	____

E 回答问题

1) 中国人为什么重视胎教？

2) 中国人为什么重视父母的榜样作用？

F 学习反思

你认同哪些中国传统家庭教育理念？结合你自己的经历说说这些家庭教育理念的重要性。

G 学习要求

学会表达一种观点，掌握三个句子、五个词语。

第一单元复习

生词

第一课

方	取消	会考	展开	讨论	反对
声音	个人	理由	阶段	基础	测试
实际	掌握	动力	方式	方向	加倍
高考	紧张	真实	发挥	压力	人生
本来	挑战	抗	必要	否则	温室
花朵	娇气	经	风雨	应对	变化
对于	持				

第二课

会议	是否	离开	舍	令	完全
封	目的	考虑	阅历	甚至	意想不到
与	来自	相处	接触	如何	交往
合作	自理	自律	成熟	优秀	当地
充分	也许	适应	深信	经历	竞争
终生	失望	恳求	过度	同意	

第三课

尊敬	得体	此	代表	挑选	根本
身份	象征	归属	约束	下意识	留意
言行	举止	防止	攀比	平等	分心
展现	于	观点	看法	而	空间
自我	审美	感谢	听取	谈	将
不胜	感激	此致敬礼			

短语 / 句型

- 取消中学会考 • 展开讨论 • 支持和反对的声音都有 • 听起来都有道理
- 我个人认为 • 主要有以下几个理由 • 初中阶段是打基础的阶段
- 让学生了解自己对知识的实际掌握情况 • 考试也是学习的动力，是一种复习的方式
- 为了今后的会考做准备 • 加倍努力 • 争取最好的成绩
- 学生高考时不会那么紧张，可以把真实水平发挥出来 • 中学生的压力已经够大了
- 人生本来就有很多压力和挑战 • 培养学生的抗压能力十分必要
- 否则，他们长大后会像温室里的花朵一样娇气，经不起风雨
- 学生有能力应对这些变化 • 对于取消中学会考，我持反对意见

- 在家庭会议上 • 我们讨论了明年我是否该去国外上寄宿学校的问题
- 你们舍不得我离开家 • 我今天写这封电邮的目的 • 考虑一下上寄宿学校的事情
- 可以丰富我的生活阅历，甚至可能给我带来意想不到的机会
- 与来自各地的同学相处 • 接触到不同的文化 • 扩大视野
- 学会如何与同学交往 • 提高与人沟通、合作的能力 • 培养自理能力和自律能力
- 变得更独立、更成熟、更优秀 • 为上当地大学做好充分的准备
- 也许开始时我会不太适应寄宿学校的学习和生活 • 提高竞争力
- 终生难忘 • 我向你们保证 • 恳求你们不要过度担心

- 尊敬的王校长 • 向您建议让我校学生穿校服 • 穿得很不得体 • 提出建议
- 学生根本就不用花时间考虑穿衣问题 • 既省时又方便 • 校服是学生的身份象征
- 穿校服能使学生有一种归属感 • 穿校服对学生来说是一种约束
- 下意识地留意自己的言行举止 • 防止学生互相攀比 • 少分心
- 集中精力学习 • 穿校服不利于展现个性 • 对于这个观点
- 学生星期一到星期五穿校服，而周末就可以穿自己喜爱的衣服了
- 学生有足够的空间展现自我 • 培养审美能力
- 如果有机会跟您细谈，我将不胜感激

青少年的不良习惯

生词

1. zhě 者 indicating a person　jì zhě 记者 journalist
2. zhuān jiā 专家 expert
3. qí 其 his; her; its; their
4. chéng yīn 成因 cause of formation
5. jí 及 and
6. táo 逃 escape　táo xué 逃学 play truant; skiving
7. yǐn 瘾（癮） addiction
8. chén 沉 deep　chén mí 沉迷 indulge in

青少年的坏习惯主要有逃学、有网瘾、沉迷于电脑游戏等。

9. tōu 偷 steal
10. chōu 抽 draw
11. yān 烟（煙） cigarette　chōu yān 抽烟 smoke
12. dú 毒 narcotic drugs　xī dú 吸毒 take drugs
13. zào chéng 造成 cause

造成这些坏习惯的原因有哪些呢？

14. dàng 当 appropriate　bú dàng 不当 inappropriate
15. jiào yù 教育 educate, education
16. xíng 形 present　xíngchéng 形成 form; take shape
17. nì 逆 disobey　nì fǎn 逆反 rebellious
18. xīn lǐ 心理 mentality

父母不当的教育方式容易使青少年形成逆反心理。

19. tóng bèi 同辈 of the same generation; peer
20. fù 负 negative　fù miàn 负面 negative
21. xùn 迅 rapid　xùn sù 迅速 rapid
22. fā zhǎn 发展 develop
23. zhòng 众（衆） numerous　dà zhòng 大众 the masses
24. méi 媒 medium　chuánméi 传媒 media
25. yì 益 increase　rì yì 日益 increasingly

迅速发展的大众传媒对青少年的影响日益扩大。

26. xiāo 消 disappear; vanish　xiāo jí 消极 negative
27. jiā zhǎng 家长 parent
28. bàn fǎ 办法 way
29. zhèngmiàn 正面 positive
30. jī 激 stimulate　jī fā 激发 stimulate

家长和老师应该想办法让青少年多接触正面的信息，激发他们的学习兴趣。

31. dǎo 导（導） lead　yǐn dǎo 引导 lead
32. yǒu yì 有益 beneficial
33. shēn xīn 身心 body and mind

家长和老师应该引导他们培养一些有益于身心健康的兴趣爱好。

34. yáng 扬（揚） spread　biǎoyáng 表扬 praise; commend
35. cháo 朝 towards
36. jī jí 积极 positive

平时要多表扬青少年的好习惯，使他们朝着积极的方向发展。

37. jiē shòu 接受 accept
38. cǎi 采（採） collect　cǎi fǎng 采访 interview

1 完成句子

1) 今天请青少年问题专家张容先生来谈谈青少年的不良习惯及其成因。

今天请 ____ 来谈谈 ____。

2) 造成这些坏习惯的原因之一是家庭的不良影响。

____ 原因之一是 ____。

3) 青少年非常容易受到同辈的影响。

____ 受到 ____ 的影响。

4) 其中一些内容给青少年带来了消极的影响。

____ 给 ____ 带来了 ____ 的影响。

5) 如何帮助青少年预防、改掉这些不良习惯呢？

如何 ____ 呢？

6) 谢谢您接受我的采访！

谢谢您 ____！

2 听课文录音，做练习

A 回答问题

1) 今天张容先生来讲什么？

2) 造成青少年坏习惯的原因有哪些？

3) 谁有责任引导青少年朝着积极的方向发展？

B 选择（答案不只一个）

____ 会给青少年带来负面、消极的影响。

a) 父母的坏习惯，如不按时吃饭、很晚睡觉等
b) 同学和朋友的不良行为，比如沉迷于网络、逃学等
c) 父母经常发脾气、打孩子
d) 电视、电影中抽烟、偷东西等不良行为
e) 青少年参与的公益活动
f) 老师的教育
g) 杂志里不当的图片和内容
h) 大众传媒中正面、积极、上进的信息

课文 

访青少年问题专家(zhuān jiā)张容先生

田　风：我是校报记者(jì zhě)田风。今天请青少年问题专家张容先生来谈谈青少年的不良习惯、其(qí)成因(chéng yīn)，及(jí)如何预防、改掉这些坏习惯。张先生，现在的青少年身上主要有哪些坏习惯？

张先生：青少年的坏习惯主要有逃学(táo xué)、有网瘾(yǐn)、沉迷(chén mí)于电脑游戏、偷(tōu)东西、抽烟(chōu yān)，甚至吸毒(xī dú)等。

田　风：造成(zào chéng)这些坏习惯的原因有哪些呢？

张先生：造成这些坏习惯的原因之一是家庭的不良影响。父母不当(bú dàng)的教育(jiào yù)方式容易使青少年形成(xíng chéng)逆反心理(nì fǎn xīn lǐ)。二是同辈(tóng bèi)的负面(fù miàn)影响。青少年非常容易受到同辈的影响。

田　风：除了受周围人的影响以外，还有其他成因吗？

张先生：迅速(xùn sù)发展(fā zhǎn)的大众传媒(dàzhòng chuánméi)对青少年的影响也日益(rì yì)扩大。其中一些内容给青少年带来了消极(xiāo jí)的影响。

田　风：如何帮助青少年预防、改掉这些不良习惯呢？

张先生：在教育青少年的过程中，家长(jiā zhǎng)和老师应该想办法(bàn fǎ)让青少年多接触正面(zhèngmiàn)的信息，激发(jī fā)他们的学习兴趣，引导(yǐn dǎo)他们培养一些有益(yǒu yì)于身心(shēn xīn)健康的兴趣爱好。平时还要多表扬(biǎoyáng)青少年的好习惯，使他们朝(cháo)着积极(jī jí)的方向发展。

田　风：对，这些方面都十分重要。谢谢您接受(jiē shòu)我的采访(cǎi fǎng)！

3 小组讨论

话题1 不当的家庭教育方式有哪些？

例子：

同学1： 有些事情家长自己做不到，但是要孩子一定得做到。比如有些家长自己不读书、不爱学习，但要求孩子考试必须取得好成绩。

同学2： 有些家长一方面不让孩子玩儿电脑游戏，一方面自己每天晚上都在家里玩儿游戏。

同学3： 有些家长自己就有网瘾，孩子当然也容易沉迷于网络。

同学1： 还有些家长非常依赖智能手机，一天到晚都拿着手机。这会给孩子造成很不好的影响。

……

话题2 同辈或者大众媒体会给青少年带来哪些负面、消极的影响？

例子：

同学1： 在同学或者朋友中，如果有人抽烟，其他人容易受到影响，也学着抽烟。

同学2： 如果有人整天只玩儿游戏、不学习，那么他的朋友也会受到负面的影响。

同学3： 在班上，如果有人没有完成作业就说自己生病了，甚至逃课，别的同学也会这样做。

同学1： 有些电视节目、电影、杂志上有色情、暴力的内容。这会给青少年带来消极影响。

……

你可以用

a) 在家里，父母一言堂，不让孩子发表意见。

b) 父母总在家里看电视。家里非常吵，孩子没有安静学习的地方。

c) 父母不重视孩子的学习，一有假期就提前带孩子去旅游。

d) 父母总是把孩子跟其他孩子比，要求孩子的学习成绩跟其他孩子的一样好。

e) 我学习有进步，父母不会表扬我，但是如果我考试成绩不好，他们就会很生气。

f) 传媒的发展使一些青少年沉迷于脸书、微博等社交媒体。这不仅令他们不能专心学习，还影响了他们与别人的正常交往。

g) 有些游戏里有暴力(bào lì)、血腥(xuè xīng)的场面。这会给青少年带来负面的影响。

h) 手机短信里的一些不良内容也会影响青少年。

4 用所给结构及词语写句子

1) 今天请青少年问题专家张容先生来谈谈青少年的不良习惯、其成因，及如何预防、改掉这些坏习惯。 → 其　大众传媒

2) 父母不当的教育方式容易使青少年形成逆反心理。 → 使　养成

3) 在教育青少年的过程中，家长和老师应该想办法让青少年多接触正面的信息。 → 在……的过程中　引导

4) 平时还要多表扬青少年的好习惯。 → 多　接触

5 角色扮演

情景　张老师和家长讨论怎样多给孩子正面的信息，使他们朝着积极的方向发展。

例子：

老师： 现在的孩子很容易接触到负面、消极的信息，所以我们老师、家长应该想办法让他们多接触正面、积极的内容。

家长： 您说得对。我儿子经常上网。网上有各种各样的游戏。我会选一些有趣的益智（yì zhì）游戏跟他一起玩儿。我们家有规定（guī dìng），只有完成作业以后他才能玩儿游戏。

老师： 这个办法很好。你们会不会一起做一些有益的活动，比如做运动？

家长： 当然会。我们一家人都喜欢散步和游泳。我们每天吃完晚饭都一起出去散步，每个周末都去公共游泳池游泳。

老师： 除了运动以外，你们还帮孩子培养了哪些有益于（yǒu yì yú）身心健康的兴趣爱好？

……

你可以用

a) 家长要激发孩子的学习兴趣。如果孩子喜欢学外语，可以带他去那个国家旅行。旅行期间孩子可以用外语跟当地人沟通，还可以接触到不同的风俗习惯。

b) 我们要引导孩子培养一些有益于身心健康的兴趣爱好，比如画画儿、弹琴等。如果家庭条件允许，可以给孩子请家教，让他们有更大的进步。

c) 我们一家人每周六都去老人院做义工。我们会给老人讲故事，还组织了老人合唱团。

6 阅读理解

我的家庭教育

从我记事起，每年妈妈都为我开生日会，我都会收到爸爸妈妈和朋友们送的礼物。生日前几天我总是异常(yì cháng)兴奋，期待着即将(jí jiāng)摆在眼前的礼物。

去年我十四岁生日那天，妈妈没有给我开派对，也没有送我礼物，而是给我写了一封信。信中，妈妈送了我三句话，让我受益(shòu yì)匪浅(fěi qiǎn)。

第一句是我应该学会感恩。从小到大，我得到了家人、老师、同学以及周围的人对我的关心、爱护和帮助。有这么多人为我付出，我的生活才衣食无忧(yī shí wú yōu)、甜蜜幸福(tián mì xìng fú)。

第二句是我应该学会珍惜。我应该珍惜现在拥有的一切，不能觉得本来就该是这样的，也不应该跟别人攀比。如果想要更好的生活，就要通过自己的努力去争取。

第三句是我应该学会换位思考。碰到(pèng dào)问题、冲突(chōng tū)的时候，不要总觉得自己是正确(zhèng què)的，都是别人的错，而要站在对方的立场(lì chǎng)想一想，再作出判断(pàn duàn)。

妈妈的信教给了我做人的道理。这份特别的"礼物"，我会永远珍藏(zhēncáng)的。

A 选择

1) "受益匪浅"的意思是_____。

a) 收获不小　b) 没有收获

c) 喜出望外　d) 感激万分

2) "衣食无忧"的意思是_____。

a) 缺衣少食　b) 不为生活担忧

c) 生活穷困　d) 不用担心学业

3) "珍藏"的意思是_____。

a) 舍不得　b) 忘记

c) 好好收藏　d) 保护

B 回答问题

十四岁生日那天他收到了什么礼物？

C 选出三个正确的句子

在信中，妈妈告诉他_____。

a) 要感激家人、朋友对他的关心和爱护

b) 有问题时自己想办法解决

c) 他拥有的一切不是天上掉下来的

d) 碰到冲突，要学会换位思考

e) 别人的家庭条件好，自己的要更好

培养好习惯

要成为优秀的青年人，应该从培养良好的习惯做起。

在学习方面，可以试着培养以下几项习惯：一是上课要集中精力，认真听讲，主动(zhǔ dòng)回答问题。二是上课要记笔记。有研究(yán jiū)证明，如果上课不记笔记，只能掌握学习内容的百分之三十。三是不懂就问，不带着问题离开课堂。四是与同学讨论、合作完成(wán chéng)学习任务时，既要主动帮助别人，又要虚心(xū xīn)向别人学习。五是课后及时复习，真正掌握课上所学的内容。六是按时、独立完成作业，不把作业留到最后一分钟。七是尽量运用(yùn yòng)所学知识解决生活中的实际(shí jì)问题，培养实践能力。

在生活方面，也有一些注意事项(shì xiàng)：第一，要培养自律能力。每个成功人士都非常自律。第二，要树立(shù lì)目标。有了目标才有努力的方向。第三，要有积极的态度。积极的态度会帮我们克服(kè fú)遇到的困难。第四，要学会坚持。做事不能半途而废(bàn tú ér fèi)，要有毅力(yì lì)。第五，要尽量抽出时间锻炼身体。运动不仅可以强身健体，还有助于减压。第六，要多阅读。“书中自有黄金屋”，书籍可以丰富我们的知识和阅历。

从小培养良好的习惯对日后取得成功非常重要。大家从今天做起，培养这些良好的学习、生活习惯吧！

A 写意思

1) 精力：__________

2) 研究：__________

3) 运用：__________

4) 事项：__________

5) 目标：__________

6) 毅力：__________

B 判断正误，并说明理由

	对	错
1) 上课时要专心，还要积极参与课堂活动。 ______	___	___
2) 在课堂上要做笔记，因为这样有助于掌握课上的内容。 ______	___	___
3) 小组活动时，最重要的是完成学习任务。 ______	___	___
4) 下课后要多复习，确保掌握所学的知识。 ______	___	___
5) 要在现实生活中培养自己活用知识的能力。 ______	___	___

C 配对

☐ 1) 要向成功人士学习，
☐ 2) 要有目标，
☐ 3) 要有积极的态度，这样
☐ 4) 做任何事情都要坚持到底，
☐ 5) 做运动不但能强身健体，
☐ 6) 要多读书，

a) 否则就不知道朝哪个方向努力。
b) 做一个自律的人。
c) 不能做到一半就放弃。
d) 还能减压。
e) 从书中得到更多知识。
f) 有利于克服困难。

D 回答问题

要成为优秀的青年人，要从什么时候开始培养好习惯？

E 学习反思

你有文中提及的好习惯吗？这些好习惯对你的学习和生活有什么帮助？

F 学习要求

学会表达一种观点，掌握三个句子、五个词语。

新媒体（méi tǐ）对青少年的影响

如今，新媒体与人们的生活息息相关。人们已经习惯了通过新媒体社交、获得资讯（zī xùn）、搜索（sōu suǒ）信息、刷微博（shuā wēi bó）、看视频（shì pín）、玩网游等等。

现在，青少年拥有手机和电脑的现象非常普遍。新媒体不仅成为了青少年获取资料、交换信息的重要工具，而且改变了他们社交、学习及生活的方式。

正如所有事物都有两面性一样，新媒体也是一把双刃剑（jiàn）。一方面，新媒体使交流不再受时空（shí kōng）的限制。新媒体的互动性使信息的发布和传播（chuán bō）更加方便。通过新媒体青少年可以开阔视野（kāi kuò shì yě）、增长见识（jiàn shi）。另一方面，由于新媒体高度自由，从中获得的信息不具有权威（quán wēi）性。青少年的辨别（biàn bié）能力不强，容易被网上的内容误导（wù dǎo）。另外，由于网络的虚拟性，有人趁机（chèn jī）不负责任地发布（fā bù）信息，青少年的道德观念容易被弱化。再有，习惯了通过新媒体交往，可能会使青少年与人面对面交流、合作的能力减弱。

总之，如何让新媒体为人们，特别是青少年，更好地服务，还需要更多的思考和尝试。

A 写意思

1) 搜索：__________

2) 传播：__________

3) 开阔：__________

4) 辨别：__________

5) 误导：__________

6) 尝试：__________

B 判断正误，并说明理由

	对	错
1) 所有的事物都有双重性，新媒体也不例外。		
2) 在任何地方、任何时间，人们都可以通过新媒体互相交流。		
3) 通过新媒体可以立刻发布信息，而传播信息就没有那么方便了。		
4) 新媒体能让青少年见多识广。		
5) 网络上的信息有真有假，有时候会误导青少年。		

C 配对

- ☐ 1) 随着科技的飞速发展，新媒体
- ☐ 2) 如今，几乎每个青少年都有
- ☐ 3) 新媒体成了青少年
- ☐ 4) 新媒体的普遍使用改变了
- ☐ 5) 我们应该思考
- ☐ 6) 新媒体令交流更方便的同时，可能会减弱

a) 人们社交、学习和生活的方式。
b) 如何让新媒体更好地为人们服务。
c) 人与人面对面的交流和合作的能力。
d) 自己的手机和电脑。
e) 获取信息的重要工具。
f) 与人们生活的联系越来越紧密。

D 回答问题

1) 人们可以通过新媒体做哪些事？

2) 为什么新媒体可能会弱化青少年的道德观念？

E 学习反思

关于如何更好地使用新媒体，你有什么想法？打算做哪些尝试？

F 学习要求

学会表达一种观点，掌握三个句子、五个词语。

9 根据实际情况回答问题

1) 你们学校的学生中有人逃学吗？他们一般是几年级的学生？为什么逃学？
2) 你们学校的学生中有人偷东西吗？一般在哪儿偷东西？偷什么东西？
3) 你的同学或朋友中，有人有网瘾吗？有网瘾有什么表现？
4) 你沉迷于电脑游戏吗？你玩儿哪些游戏？最近有哪些游戏很受欢迎？
5) 在你居住的城市或地区，青少年抽烟的情况严重吗？
6) 在你居住的城市或地区，有青少年吸毒吗？
7) 你受同辈的影响大不大？哪些方面受到了同辈的影响？
8) 你会受大众传媒的影响吗？哪些方面会受到大众传媒的影响？
9) 你多大的时候比较逆反？你的逆反表现在哪些方面？
10) 你的父母和老师经常表扬你吗？你最近因为什么事受到了表扬？
11) 你接受过采访吗？接受过谁的采访？为什么受到采访？
12) 如果你可以采访一个人，你想采访谁？为什么想采访他/她？你想采访他/她什么？

10 成语谚语

A 成语配对

□ 1) 美中不足	a) 形容极远的地方，或相隔极远。
□ 2) 大有作为	b) 大体还好，但还有不足。
□ 3) 天涯(yá)海角	c) 不断积累，就会从少变多。
□ 4) 积少成多	d) 形容阅读广泛(guǎng fàn)，学识丰富。
□ 5) 博览群书	e) 指能充分发挥(fā huī)才能，取得巨大(jù dà)成就。

B 中英谚语同步

1) 万事开头难。 All beginnings are hard.

2) 好的开始是成功的一半。 Well begun is half done.

3) 千里之行始于足下。 A journey of a thousand miles begins with a single step.

11 文体

采访稿格式

标题：访 xx / xx 专访

简单介绍采访者、被采访者以及采访主题。

问答式：记者（xxx）与被采访者（xx 先生）的对话。

xxx：……………………………………………………

xx 先生：………………………………………………

xxx：……………………………………………………

xx 先生：………………………………………………

结束：…………………………………………………

12 写作

题目 有人说“家庭教育比学校教育更重要”。假设你是校报记者，采访教育专家李先生，写一篇采访稿。

以下是一些人的观点：

- 家庭是人生的第一课堂。
- 父母是孩子的第一任老师。
- 学校是教育的重要场所。
- 学校里的同龄人对青少年的影响更大。

你可以用

a) 人们常说的“家教”是指一个人在家受到的教育。这对人的成长非常重要。

b) 有些家庭教育孩子的方法不当，使得孩子形成了逆反心理。家长说向东，孩子就向西。

c) 在学校，青少年最容易受同龄人的影响，有样学样。

d) 有时孩子不听父母的话，但是会听老师的话。

e) 学校应该组织活动，引导学生培养一些有益于身心健康的兴趣爱好。

f) 学校要培养学生的团队精神，教育学生怎样与人相处、合作。

中华民族的传统美德

中华民族的传统美德涉及(shè jí)各个领域(lǐng yù)。以下是一些跟青少年密切相关(mì qiè xiāngguān)的传统美德。

勤俭(qín jiǎn)节约：意思是勤劳(qín láo)而节俭(jié jiǎn)，就是说学习、工作中要勤劳，生活中要节俭。

孝顺父母：指要尽心尽力赡养父母。父母给予我们生命，抚养(fǔ yǎng)我们长大。我们要报答父母，听从父母的意见。

吃苦耐劳：指要能过困苦(kùn kǔ)的生活，能受得了劳(láo)累(lèi)，不怕困难。

自强不息：指自己努力、进取，永不放松(yǒng bú fàngsōng)、放弃(fàng qì)。

尊敬师长：其中，师长可以专指老师，也可以指老师和长辈。

谦虚(qiān xū)礼貌：其中，谦虚指要善于(shàn yú)发现别人的长处以及自己的短处，想办法取别人的长补自己的短。

诚实守信(shǒu xìn)：其中，诚实的意思是忠诚(zhōngchéng)、老实；守信的意思是讲信用，答应了别人的事情就一定做到。

立志(lì zhì)勤学：其中，立志指要立下志向；勤学指要努力求学。

A 写意思

1) 涉及：________

2) 抚养：________

3) 进取：________

4) 善于：________

5) 答应：________

6) 立志：________

B 配对

□ 1) 父母给予孩子生命，
□ 2) 青少年要能过苦日子，
□ 3) 一个人有了理想，再加上勤奋，
□ 4) 守信就是讲信用，
□ 5) 立志勤学是中华民族的传统美德，

a) 答应别人的事情一定要做到。
b) 孩子长大后有责任照顾、赡养父母。
c) 尊敬师长也是中华民族的传统美德。
d) 就是说一个人的内心和言行要一致。
e) 不能一遇到困难就想放弃。
f) 就是要取长补短。
g) 才有可能成功。

C 判断正误，并说明理由

	对	错
1) 青少年要培养勤奋学习、生活节俭的美德。 ________________	____	____
2) 子女要赡养父母，但是不一定要听他们的话。 ________________	____	____
3) 青少年要有吃苦耐劳、不怕困难的精神。 ________________	____	____
4) 青少年应该多发现、学习别人的长处。 ________________	____	____

D 回答问题

1) 短文中介绍的中华民族的传统美德主要跟谁有关？

2) 为什么要尽心尽力赡养父母？

E 学习反思

1) 你具备哪些中华民族的传统美德？你应该培养哪些美德？

2) 你做到自强不息和尊敬师长了吗？请举例说明。

F 学习要求

学会表达一种观点，掌握三个句子、五个词语。

生词

1. 通知 (tōng zhī) notice
2. 山东 (shāndōng) Shandong province
3. 贫（貧）(pín) poor 贫困 (pín kùn) poor
4. 县（縣）(xiàn) county
5. 教授 (jiāoshòu) teach
6. 该 (gāi) (the) said

   同学们将教授该校的学生英语课。

7. 备课 (bèi kè) prepare lessons
8. 设 (shè) plan 设计 (shè jì) design
9. 出发 (chū fā) set out
10. 织（織）(zhī) weave 组织 (zǔ zhī) organize
11. 款 (kuǎn) fund
12. 捐 (juān) donate 捐款 (juānkuǎn) donate
13. 筹（籌）(chóu) raise 筹款 (chóukuǎn) raise money

    同学们要在学校组织捐款活动，筹款给那里的学生买文具、衣物等。

14. 此 (cǐ) this
15. 品 (pǐn) character; quality
16. 德 (dé) moral character 品德 (pǐn dé) moral character

    参加过此项活动的同学都认为活动中让他们印象最深的是贫困地区学生的品德。

17. 家境 (jiā jìng) family financial circumstance
18. 穷（窮）(qióng) poor 贫穷 (pín qióng) poor
19. 条件 (tiáo jiàn) condition
20. 朴（樸）(pǔ) simple; plain 朴实 (pǔ shí) simple; plain
21. 貌 (mào) looks 礼貌 (lǐ mào) polite
22. 好客 (hào kè) be hospitable
23. 珍 (zhēn) value highly
24. 惜 (xī) cherish 珍惜 (zhēn xī) cherish
25. 勤奋 (qín fèn) diligent
26. 阔（闊）(kuò) wide; broad 开阔 (kāi kuò) widen
27. 眼界 (yǎn jiè) field of vision
28. 乡（鄉）(xiāng) village; countryside
29. 村 (cūn) village 乡村 (xiāng cūn) village; countryside
30. 差别 (chā bié) difference
31. 农（農）(nóng) agriculture 农村 (nóng cūn) countryside; village

    这次“中国周”能使同学们开阔眼界，看到中国城市和乡村的差别，对中国的农村有进一步的了解。

32. 正 (zhèng) straight; upright 真正 (zhēnzhèng) true; real
33. 含义 (hán yì) meaning

    通过一个星期的体验，同学们会真正理解“身在福中要知福”的含义。

34. 更加 (gèng jiā) even more
35. 拥（擁）(yōng) possess 拥有 (yōngyǒu) possess
36. 一切 (yí qiè) all

    同学们会更加珍惜现在拥有的一切。

37. 将来 (jiāng lái) future
38. 登录 (dēng lù) log in
39. 网站 (wǎngzhàn) website

1 完成句子

1) 今年的“中国周”期间，我们将去中国山东省一个贫困县的小学做义工。

_____ 期间，_____。

2) 老师和同学们将住在离学校不远的一家宾馆里。

_____ 将 _____。

3) 出发以前，同学们要在学校组织捐款活动。

_____ 以前，_____。

4) 这次“中国周”能使同学们对中国的农村有进一步的了解。

_____ 使 _____ 对 _____ 了解。

5) 通过一个星期的体验，同学们会更加珍惜现在拥有的一切。

通过 _____，_____ 会 _____。

6) 如果对这次“中国周”活动感兴趣，请登录学校网站报名。

如果 _____，请 _____。

2 听课文录音，做练习

A 回答问题

1) 今年的“中国周”期间，老师将带着学生去做什么？

2) 老师和学生住在哪里？

3) “身在福中要知福”是什么意思？

B 选择（答案不只一个）

1) 同学们要去小学 _____。

a) 教中文　b) 当英文老师　c) 做义工

2) 出发之前，同学们要 _____。

a) 筹款给小学生买东西　b) 为小学生做衣服

c) 为英语课设计教学活动

3) 参加过这项活动的同学对 _____ 印象最深。

a) 当地学生的品德　b) 当地人贫穷的家境

c) 乡村美景

4) 通过一周的体验，同学们会 _____。

a) 更努力地学习　b) 更珍惜所拥有的一切

c) 更了解中国的城乡差别

5) 想参加此项活动的同学可以 _____ 报名。

a) 直接找夏老师　b) 上网　c) 写信

课文 

“中国周”活动通知(tōng zhī)

今年的“中国周”期间，我校将有五位老师带着五十位同学去中国山东(shāndōng)省一个贫困县(pín kùn xiàn)的小学做义工。

老师和同学们将住在离学校不远的一家宾馆里。同学们将教授该(jiāo shòu gāi)校的学生英语课。同学们需要做好充分的准备，要备(bèi)课(kè)、设计(shè jì)教学活动等。出发(chū fā)以前，同学们还要在学校组织捐款(zǔ zhī juān kuǎn)活动，筹款(chóukuǎn)给那里的学生买文具、衣物等。

参加过此(cǐ)项活动的同学都认为活动中让他们印象最深的是贫困地区学生的品德(pǐn dé)。虽然他们家境贫穷(jiā jìng pín qióng)，生活条件(tiáo jiàn)不好，但是他们朴实(pǔ shí)、礼貌(lǐ mào)、热情、好客(hào kè)，珍惜(zhēn xī)时间，勤奋(qín fèn)学习。这些都是同学们应该向他们学习的。

这次“中国周”能使同学们开阔眼界(kāi kuò yǎn jiè)，看到中国城市和乡村(xiāng cūn)的差别(chā bié)，对中国的农村(nóng cūn)有进一步的了解。通过一个星期的体验，同学们还会真正(zhēnzhèng)理解“身在福中要知福”的含义(hán yì)，更加(gèng jiā)珍惜现在拥有(yōng yǒu)的一切(yí qiè)，努力学习，将来(jiāng lái)更好地服务社会。

如果对此次“中国周”活动感兴趣，请登录(dēng lù)学校网站(wǎngzhàn)报名：www.chinatrip.com。

“中国周”活动组织者：夏老师

9 月 10 日

3 用所给结构及词语写句子

1) 同学们要给那里的学生买文具、衣物等。 → 给　礼物
2) 这些都是同学们应该向他们学习的。 → 向……学习　影响
3) 同学们会更加珍惜现在拥有的一切。 → 珍惜　得到
4) 同学们会努力学习，将来更好地服务社会。 → 更好　认真
5) 参加过此项活动的同学都认为活动中让他们印象最深的是贫困地区学生的品德。 → 此　风景

4 小组讨论

话题 学生应该培养什么样的品德和能力?

例子：

同学1：同学之间要互相关心、互相帮助、互相支持。如果看到其他同学有困难，我们应该想办法帮助他们，给他们出主意。

同学2：我们还要耐心听取别人的意见。这样不仅可以令我们更快地进步，还可以使我们更好地与人沟通。

同学3：我们要做独立的人。自己的事情自己做，不依赖别人。如果有困难，应该自己想办法解决。

同学1：对，我们要学习自己照顾自己，要提高自理能力。

同学2：我们要勤奋、刻苦，认真学习，对工作负责。

同学3：每天只有二十四小时。管理时间的能力十分重要。如果时间管理得好，就可以做更多的事情。

……

你可以用

a) 朴实　礼貌　好客　热情　大方
b) 性格开朗，既有责任心又有耐心。
c) 善良、有爱心，主动关心别人。
d) 乐于帮助别人、服务社会。
e) 善于跟人交流、沟通，能很好地与别人合作完成任务。
f) 养成勤奋、好学的习惯。只有不断学习新知识才能不断进步。
g) 自律能力强，不用别人提醒。

5 角色扮演

情景 你将参加"中国周"活动去小学做义工。出发以前，你和两个不同班级的同学要在学校组织筹款活动，还要决定买什么东西带去那里。

例子：

同学 1： 我们可以组织糕饼义卖。我可以让我们班的同学每人带一种糕饼来学校义卖。

同学 2： 这个主意不错。如果我们三个班的每个同学都带一种糕饼来卖的话，一定能筹到不少钱。

同学 3： 我们还可以把家里不用的东西拿到学校来卖。我们可以组织一个"二手货品义卖"活动。我家里有不少衣服，还有很多文具，比如铅笔、彩色笔、尺子等。我都可以拿来义卖。

同学 1： 我爸爸是开制包厂的。他们厂里有一些样品，还有一些过时的包。我可以请他捐出来义卖。

……

你可以用

a) 组织"两小时不说话"活动。不参加的同学每人要捐出 20 块钱。

b) 组织"12 小时禁食"活动。每个学生都要想办法筹到 1000 块钱。

c) 组织高年级同学参加"20 公里义跑"活动。

d) 选一个周末，组织"30 公里远足"活动。

e) 把家里的课本、漫画书、小说等拿到学校来义卖。

f) 为低年级同学画脸谱。每人收 10 块钱。

g) 在学校举办一场音乐会，时间可定在星期五的中午。

h) 在学校举办一场时装秀。一张时装秀的门票卖 20 块钱。

i) 在学校组织便服日活动。想穿便服的同学要捐出 20 块钱。

6 阅读理解

通知（一）

十年级同学将于12月10日开展慈善活动。十年级三个班的慈善小组长会动员班上的同学捐出糕饼甜点。当天午饭时间，除了糕饼义卖，还会有歌舞表演、猜糖果游戏和投标(tóu biāo)游戏。义卖所得的善款将捐献(xiàn)给本地的慈善机构(jī gòu)——儿童福利会。

活动前请做好以下准备：

- 为活动设计广告，并将广告张贴(zhāngtiē)在校园里。
- 分组，并决定每组要捐的糕饼。
- 鼓励有才艺(cái yì)的同学参加表演。
- 准备糖罐，并动员同学带糖果。
- 准备投标用的豆豆袋(dài)。
- 请擅长画画儿的同学设计投标牌。

A 选择（答案不只一个）

开展慈善活动前，同学们要＿＿＿＿。

a) 把广告贴在校园里
b) 把每班分成三个组
c) 请所有同学一起表演节目
d) 为猜糖果游戏准备好糖罐
e) 让有绘画才能的同学准备豆豆袋
f) 为活动做好准备工作

B 回答问题

1) 谁会参与糕饼义卖活动？
2) 12月10日午饭时间会有哪些活动？
3) 义卖所得的善款将捐给哪个机构？

通知（二）

学生会将于12月8日组织二手物品义卖活动。希望全校师生可以捐出不用或多余(duō yú)的物品。义卖所得善款将捐给慈爱老人院。

捐赠物品：衣服、文具、书籍、玩具、礼物

要求：捐赠的物品要干净、无损(wú sǔn)，最好有原包装。

请在12月1日前将捐赠物品拿到学校，存放(cún fàng)在教务室。

回答问题

1) 这次二手物品义卖会是谁组织的？
2) 谁会把物品捐出来？
3) 活动对捐赠的物品有哪些要求？
4) 捐赠物品要什么时候拿到学校？

为爱行走

十二月二十日　星期日　　　　　　　　　　　　　　　　　　　晴

今天，我跟父母参加了一个健康步行公益(gōng yì)活动——公益金百万行。这个活动是以健康步行的方式为公益慈善项目募集善款(mù jí shànkuǎn)的。筹得的善款除了用来资助深圳(zī zhù shēn zhèn)高校学生的研究和实践活动以外，还会用来资助深圳的贫困大学生，以及外地来深圳打工人员子女中小学阶段的教育。

步行活动早上九点开始，从深圳湾(wān)公园出发，全程三公里。一共有一万多位市民参加了这次活动。今天天气不错，气温适宜(shì yí)，在深圳湾的海滨(hǎi bīn)路上行走，我们感觉十分轻松愉快。一路上，不少晨练的市民也加入(jiā rù)了步行的队伍。我们用一个小时走完了全程，到达(dào dá)了终点婚庆(zhōngdiǎn hūn qìng)公园。到达终点时，每个人都收到了"爱心证"和纪念印花。不少市民还往捐款箱里投入(tóu rù)了自己的一份心意。

这是我第一次参加健康步行公益活动。通过这次活动我不仅锻炼了身体，还做了慈善，真是一举两得。参加步行活动的市民不但富有爱心，而且注意环保。他们都自备了垃圾袋，活动结束(jié shù)后，深圳湾公园里几乎没有留下垃圾。这也让我感触很深。

A 写意思

1) 募集：＿＿＿＿＿＿

2) 资助：＿＿＿＿＿＿

3) 加入：＿＿＿＿＿＿

4) 到达：＿＿＿＿＿＿

5) 富有：＿＿＿＿＿＿

6) 结束：＿＿＿＿＿＿

B 配对

☐ 1) 公益金百万行	a) 有些贫困大学生需要社会的资助。
☐ 2) 在深圳的大学里,	b) 是深圳的一个慈善活动。
☐ 3) 步行活动的起点是深圳湾公园,	c) 气温不高也不低。
☐ 4) 步行活动那天的天气特别好,	d) 外来打工人员子女的中小学教育。
☐ 5) 参加活动的市民不但很有爱心,	e) 终点是婚庆公园。
	f) 而且非常注意保护环境。
	g) 每个参加活动的人都拿着垃圾袋。

C 判断正误，并说明理由

	对	错
1) 有近一万位市民参加了全程三公里的步行公益活动。		
________________	____	____
2) 走在深圳湾的海滨路上，我们感到格外轻松愉快。		
________________	____	____
3) 到达终点后，很多市民把钱投入捐款箱内，献一份爱心。		
________________	____	____

D 回答问题

1) 公益金百万行是用什么形式募集善款的?

2) 募集到的善款将派什么用场?

3) 为什么说参加公益金百万行是一件一举两得的事?

E 学习反思

1) 你参加过类似的健康步行公益活动吗? 还有哪些活动可以筹集善款?

2) 如果让你组织一个慈善活动，你会组织什么活动? 你会把筹集的善款捐给哪个慈善机构?

F 学习要求

学会表达一种观点，掌握三个句子、五个词语。

http://blog.sina.com.cn/jinnanblog

金南的部落格(bù luò gé)

做慈善的本意（2016-08-24 17:24）

我们学校每年都组织慈善活动。做慈善是为了帮助有需要的人，而有些慈善活动好像违背(wéi bèi)了慈善的本意。例如，同学们带糕饼来学校义卖。中午会有很多学生把糕饼、可乐等不健康的食品当作午饭，对健康不利。另外，“两个小时不说话”活动使学生不能正常参与课上的活动，非常影响上课、学习。再有，很多慈善活动都会送玩具熊之类的纪念品。对于大部分人来说，得到这些纪念品完全没必要，是一种浪费。

一些影响力很大的慈善活动也有这种问题。比如，很多人曾用“冰桶(bīngtǒng)挑战”的方式为渐冻(jiàndòng)人筹款。筹款当然是好事，但是这种做慈善的方式非常浪费水，完全背离(bèi lí)了做慈善的初衷。因为当时美国加州(jiā zhōu)处于(chǔ yú)严重干旱(gān hàn)时期，加州的两名男子就用泥沙(ní shā)来代替(dài tì)冰水。这种方式看起来可以节约水，但仔细(zǐ xì)想一下就会发现用泥沙更浪费水，因为需要更多的水才能把泥沙洗干净。

我们应该认真思考，怎样才符合(fú hé)做慈善的本意，能真正帮助那些有需要的人。

阅读 (67) ┆ 评论(píng lùn) (34) ┆ 转载 (21)

A 写意思

1) 违背：______________

2) 本意：______________

3) 干旱：______________

4) 思考：______________

5) 符合：______________

6) 评论：______________

B 选择

“初衷”的意思是 ____。

a) 最初的行动　　b) 最后的结果

c) 最初的愿望和心意

d) 最后的决定

C 写反义词

1) 符合 → ____

2) 有利 → ____

3) 节约 → ____

4) 坏事 → ____

D 选出三个正确的句子

有些慈善活动违背了做慈善的本意，比如 ____。

a) 义卖糕饼，让学生吃很多不健康的食品

b) “两小时不说话”活动使学生有借口不去上课

c) 送给捐款的人没有必要的玩具纪念品

d) 为渐冻人和贫困地区的孩子筹款

e) 加州的两名男子用沙子代替冰水，参加“冰桶挑战”

E 判断正误，并说明理由

	对	错
1) 糕饼义卖是一种慈善活动，但可能不利于学生的身体健康。		
____________________	____	____
2) 人们通过参与“冰桶挑战”活动筹集善款，帮助干旱地区的人。		
____________________	____	____

F 回答问题

1) 用泥沙代替冰水参加“冰桶挑战”可以节约水吗？为什么？

2) 做慈善的本意是什么？

G 学习反思

你有没有参加过违背慈善本意的慈善活动？请举例说明。

H 学习要求

学会表达一种观点，掌握三个句子、五个词语。

9 根据实际情况回答问题

1) 你们学校每年都组织学生做义工吗？一般什么时候、去哪儿做义工？

2) 你参加过学校组织的义工活动吗？请讲一讲你的经历。

3) 你参加过社区组织的义工活动吗？请讲一讲你的感受和收获。

4) 你去老人院、孤儿院、智障(zhìzhàng)学校等机构做过义工吗？请讲一讲你的经历。

5) 你觉得青少年应该做义工吗？为什么？

6) 你去过中国比较贫困的乡村吗？请讲一讲你的体验和感受。

7) 你在学校组织或参加过哪些筹款活动？请讲一讲你的经历。

8) 通过组织或参加筹款活动，你有哪些收获？

9) 你会把平时不用的东西、不穿的衣物捐出去吗？会捐到哪里？

10) 请讲一讲令你印象最深的一次慈善活动。

11) 你是一个勤奋、刻苦的人吗？请举例说明。

12) 你认为应该如何珍惜时间？

10 成语谚语

A 成语配对

☐	1) 千篇(piān)一律	a) 形容非常高兴喜悦(xǐ yuè)。
☐	2) 百战(zhàn)百胜	b) 形容时间长久，也形容永远不变，多指爱情。
☐	3) 天长地久	c) 心里忽然(hū rán)明白了。
☐	4) 手舞足蹈	d) 形式或内容毫无变化(háo wú biàn huà)。
☐	5) 恍然(huǎng rán)大悟(wù)	e) 每战必胜。

B 中英谚语同步

1) 滴(dī)水石穿，绳锯(shéng jù)木断。 Constant dropping wears the stone.

2) 冰冻三尺，非一日之寒。 Rome is not built in a day.

3) 一年之计在于春，一日之计在于晨。 An hour in the morning is worth two in the evening.

11 文体

通知格式

xx 通知

活动目的：……………………………………

活动主题：……………………………………

对象：……………………………………

活动内容：……………………………………

时间：……………………………………

地点：……………………………………

交通安排：……………………………………

注意事项：……………………………………

姓名：xx

日期：xx 年 xx 月 xx 日

12 写作

题目 1 有人说“青少年做义工是浪费时间”。请谈谈你对这个观点的看法。

以下是一些人的观点：

- 做义工可以让学生体验不同的生活，同时也为社会做贡献。
- 做义工回来后，学生会更加珍惜拥有的一切。
- 人的时间和精力是有限的。如果花时间做义工，青少年读书、学习的时间就少了，可能会影响学习成绩。
- 对学生来说，学习是最重要的。

题目 2 请为学校即将举办的慈善活动写一份通知，并鼓励同学们积极参加。

你可以用

a) 做义工可以让青少年开阔眼界，体会帮助别人的快乐。

b) 经常做义工的人更加懂得如何管理时间。

c) 做义工可以培养青少年的责任心与爱心，还可以提高青少年与人沟通的能力。

d) 到贫困的农村做义工，让青少年有机会了解、体验不同的生活。

e) 去贫困地区做义工后，青少年能真正理解“身在福中要知福”的含义。

尊师重道

尊师重道是中华民族的传统美德。尊师重道的意思是要尊敬师长，重视老师的教导。中国人的传统观念是：父母给了我们生命，老师给了我们知识。有了知识人生才会更加美好。因此父母和老师都是值得我们尊敬的人。

尊师重道主要体现(tǐ xiàn)在以下几个方面。一是要尊重教师的劳动(láo dòng)。学生应该虚心学习，认真听老师讲的每堂课，力争取得更好的成绩。二是尊重教师的人格(rén gé)。中国古人说："一日为师，终身(zhōngshēn)为父。"意思是：即使只当了你一天的老师，也要一辈子把他当作父亲那样敬重(jìng zhòng)。除此之外，跟老师谈话时，应主动请老师坐下。如果老师不坐下，应该和老师一样站着说话。要虚心接受老师的批评(pī píng)，有不同的看法时，可以与老师讨论，但一定不能当面顶撞(dǐng zhuàng)老师。

为了让人们更加尊重教师，提高教师的社会地位，中国政府早在 1985 年就把每年的 9 月 10 日定为了教师节。

A 选择（答案不只一个）

"尊师重道"中，____。

a) "尊"是尊敬的意思

b) "师"是师长的意思

c) "重"是重视的意思

d) "道"是道路的意思

B 配对

☐ 1) 中国人很看重知识。老师传授知识，

☐ 2) 学生尊重老师的劳动体现在

☐ 3) 跟老师谈话时，如果老师不坐下，

☐ 4) 如果跟老师的意见不同，

☐ 5) 为了提高老师的地位，中国政府

a) 可以跟老师讨论，但不能顶撞老师。

b) 学生一定要得到更好的成绩。

c) 所以应该尊敬老师。

d) 把每年的 9 月 10 日定为教师节。

e) 学生也应该站着，否则不礼貌。

f) 上课时应集中精力听老师讲课。

g) 要接受老师的批评。

C 判断正误，并说明理由

对 错

1) 中国人把尊师重道作为传统美德。

______________________________ ____ ____

2) 学生上课要认真听讲，虚心向老师学习。

______________________________ ____ ____

3) “一日为师，终身为父”的意思是要把老师当作父亲一样敬重。

______________________________ ____ ____

D 回答问题

1) 为什么要尊重父母和老师？

2) 中国政府为什么要设定教师节？

3) 中国是从哪年开始有教师节的？

E 学习反思

1) 你做到“尊师重道”了吗？请举例说明。

2) 哪位老师给你留下了深刻的印象？为什么？

F 学习要求

学会表达一种观点，掌握三个句子、五个词语。

中学生谈恋爱

生词

① liàn 恋（戀）fall in love　liàn ài 恋爱 fall in love

② xiànxiàng 现象 phenomenon

③ biàn 遍 all over　pǔ biàn 普遍 widespread

中学生谈恋爱的现象比以前更普遍了。

④ shí cháng 时常 often　⑤ lǚ 侣 companion　qíng lǚ 情侣 a pair of lovers

⑥ qíngjǐng 情景 scene　⑦ xiàn 羡（羨）admire; envy

⑧ mù 慕 admire; envy　xiàn mù 羡慕 admire; envy

⑨ què 却（卻）yet; however

尽管这情景有时候也令人羡慕，但我个人却认为中学生不应该谈恋爱。

⑩ gòngtóng 共同 together

⑪ jiā 佳 good　⑫ wèi 慰 comfort　ān wèi 安慰 comfort

⑬ shí guāng 时光 time　⑭ chéng wéi 成为 become

⑮ měi hǎo 美好 beautiful　⑯ yì 忆（憶）recall　huí yì 回忆 recall

这些在一起的时光都会成为美好的回忆。

⑰ kàn lái 看来 seem

在我看来，小情侣不管在校内还是校外都要花很多时间在一起。

Note: “在我看来” is used to express a personal opinion.

⑱ chūxiàn 出现 appear; emerge　⑲ gǎnqíng 感情 feeling

⑳ wēi 危 danger　wēi jī 危机 crisis　㉑ fēnshǒu 分手 break up

㉒ shuāngfāng 双方 both sides

㉓ shāng 伤（傷）hurt　shāng xīn 伤心 sad

㉔ kǔ nǎo 苦恼 distressed

㉕ zàn 赞（贊）praise　zàn chéng 赞成 agree with

㉖ xīn zhì 心智 wisdom　㉗ bǎ wò 把握 hold

㉘ qíng gǎn 情感 emotion; feeling　㉙ ài qíng 爱情 love

㉚ huí 回 a measure word (used to indicate frequency of occurrence)

中学生不能真正理解爱情是怎么回事。

㉛ chǔ lǐ 处理 handle; deal with

㉜ què dìng 确定 certain

㉝ zài shuō 再说 what is more

首先，中学阶段学业繁忙。另外，中学生的心智还不成熟。再说，中学生的将来很不确定，可能毕业后就去不同的地方上大学了。

㉞ zǒng zhī 总之 in a word

总之，我认为中学生不应该谈恋爱。

Note: “总之” is used to sum up.

㉟ xué yè 学业 one's studies

㊱ kè yú 课余 after school

㊲ liú 留 leave (over)　liú yán 留言 leave one's comments

㊳ píng 评（評）comment　píng lùn 评论 comment

㊴ cáng 藏 store　shōucáng 收藏 collect

㊵ zhuǎn zǎi 转载 reprint　㊶ dǎ yìn 打印 print

1 完成句子

1) 尽管这情景有时候也令人羡慕，但我个人却认为中学生不应该谈恋爱。

尽管 ____，但 ____ 却 ____。

2) 有人说中学生谈恋爱可以培养责任心，使人变得更成熟。

有人说 ____。

3) 在我看来，小情侣不管在校内还是校外都要花很多时间在一起。

在我看来，____。

4) 当出现感情危机分手的时候，双方都会十分伤心、苦恼。

当 ____ 的时候，____。

5) 首先，中学生阶段学业繁忙。另外，中学生的心智还不成熟。

首先，____。另外，____。

6) 总之，我认为中学生不应该谈恋爱。

总之，____。

2 听课文录音，做练习

A 回答问题

1) 现在中学生谈恋爱的现象普遍吗？

2) 小情侣之间出现感情危机时，可能会有什么影响？

3) 王雪认为中学生应该做什么？

B 选择（答案不只一个）

1) 有些人认为中学生可以谈恋爱，因为 ____。
   a) 二人可以互相关心、互相支持，共同进步
   b) 心情不好时有人安慰
   c) 可以留下很美好的回忆

2) 王雪不赞成中学生谈恋爱的理由是 ____。
   a) 小情侣长时间在一起会影响学习
   b) 小情侣将来不可能去同一所大学读书
   c) 中学生心智不成熟，不能把握自己的情感

3) 中学生应该多 ____。
   a) 学习
   b) 培养兴趣爱好
   c) 谈恋爱

课文 

http://blog.sina.com.cn/wangxueblog

王雪的博客

中学生不该谈恋爱（2016-8-26 20:34）

现在，中学生谈恋爱的现象比以前更普遍了。校园里时常能看到小情侣们在一起。尽管这情景有时候也令人羡慕，但我个人却认为中学生不应该谈恋爱。

有人说中学生谈恋爱可以培养责任心，使人变得更成熟；二人能互相鼓励，共同进步；心情不佳时也会有人安慰；而且这些在一起的时光都会成为美好的回忆。我不完全同意这种看法。在我看来，小情侣不管在校内还是校外都要花很多时间在一起。当出现感情危机分手的时候，双方都会十分伤心、苦恼。这些都会影响他们的学习和生活。

我不赞成中学生谈恋爱。首先，中学阶段学业繁忙，中学生不应该花时间谈恋爱。另外，中学生的心智还不成熟，不能把握自己的情感，不能真正理解爱情是怎么回事，也没有能力处理好爱情带来的问题。再说，中学生的将来很不确定，可能毕业后就去不同的地方上大学了。

总之，我认为中学生不应该谈恋爱，应该把主要精力放在学业上，课余时间可以多培养一些兴趣爱好。大家怎么看这个问题呢？欢迎给我留言。

阅读（192）| 评论（18）| 收藏（0）| 转载（9）| 喜欢▼ | 打印

3 用所给结构及词语写句子

1) 我不完全同意这种看法。 → 同意　观点
2) 我不赞成中学生谈恋爱。 → 赞成　寄宿
3) 中学生没有能力处理好爱情带来的问题。 → 处理　压力
4) 中学生的将来很不确定，可能毕业后就去不同的地方上大学了。 → 确定　当

4 小组讨论

话题 1 中学生谈恋爱有哪些好处？

例子：

同学 1： 有些同学跟父母的关系不好，甚至有些紧张，得不到家庭的温暖。谈恋爱可以让他们得到男朋友或女朋友的安慰。

同学 2： 当中学生遇到烦恼，需要关心的时候，如果父母工作繁忙，身边的男朋友或女朋友会去关心他们。这是谈恋爱的好处。

……

话题 2 中学生谈恋爱有哪些坏处？

例子：

同学 1： 谈恋爱后很多学生不能集中精力学习，考试成绩一直下降。老师和家长都很担心。

同学 2： 有些学生谈朋友后总是出去看电影、逛街，浪费了很多学习时间。

同学 3： 有的学生谈恋爱后就很少跟其他朋友联络了。

……

你可以用

a) 一些孩子很少跟父母沟通、交流。出现问题的时候，他们可以跟男朋友或女朋友讲，得到鼓励、帮助。

b) 中学生的感情很纯洁(chún jié)。中学期间谈恋爱可以留下很多美好的回忆。

c) 早恋(zǎo liàn)的坏处多于好处。

d) 中学生还未成年，不应该与异性交往太深。

e) 青少年的主要任务是学习，要为将来的学习和工作打好基础(jī chǔ)，不该因为拍(pāi)拖(tuō)而浪费大好时光。

f) 一边拍拖一边学习，一定很难集中精力，会影响考试成绩的。

5 完成句子

1) 校园里时常能看到＿＿＿＿＿＿＿＿＿＿＿＿＿＿＿＿＿＿＿＿＿。

2) 中学生谈恋爱可以＿＿＿＿＿＿＿＿＿＿＿＿＿＿＿＿＿＿＿＿＿。

3) ＿＿＿＿＿＿＿＿＿＿＿＿＿＿＿＿＿＿＿＿＿＿＿花很多时间在一起。

4) 中学生的心智还不成熟，＿＿＿＿＿＿＿＿＿＿＿＿＿＿＿＿＿＿。

5) 我认为中学生＿＿＿＿＿＿＿＿＿＿＿＿＿＿＿＿＿＿＿＿＿＿＿。

6 阅读理解

青少年的烦恼

进入(jìn rù)青春期后，青少年可能要面对各种各样的烦恼。他们的烦恼可能来自学习、人际交往(jiāo wǎng)、家庭关系、与异性(yì xìng)交往等方面。

在学习方面，学习的科目增加了，功课多了，考试压力也大了。很多青少年会因为考试成绩不理想感到烦恼。

在人际交往方面，由于青少年的心智还不太成熟，可能处理不好与朋友之间的关系。有些青少年比较害羞(hài xiū)、自卑(zì bēi)，很难交到朋友，有时甚至还会被其他同学欺负(qī fu)。还有一些青少年自私(zì sī)、自大，很难与别人相处。

在家庭关系方面，有些青少年抱怨(bào yuàn)自己的父母总是觉得他们学习不够用功。还有一些青少年和父母有代沟，在某些问题上得不到父母的理解，也不愿意跟父母沟通。

在与异性交往方面，有些青少年早恋。处理不好感情带来的问题同样会让他们十分烦恼。

青春期是人生的一个重要阶段。家庭、学校和社会都应该给予青少年更多关怀(guān huái)和帮助，帮他们顺利度过这段时期。青少年也应该以积极、健康、向上的态度来对待(duì dài)青春期的烦恼。

A 写意思

1) 进入：________
2) 交往：________
3) 欺负：________
4) 抱怨：________
5) 度过：________
6) 对待：________

B 写反义词

1) 同性 → ____
2) 减少 → ____
3) 幼稚 → ____
4) 自信 → ____
5) 无私 → ____
6) 消极 → ____

C 选出三个正确的句子

青少年面对的烦恼有____。

a) 考试成绩不好
b) 因为自以为是，所以很难跟人相处
c) 父母知道他们早恋后坚决反对
d) 要花很多时间处理感情问题
e) 父母总是对他们的学习成绩不满意

D 判断正误，并说明理由

	对	错
1) 在学习方面，青少年学的科目多了，功课和考试压力也增加了。		
________	____	____
2) 有些青少年的性格有些自卑，有时会被别的同学欺负。		
________	____	____
3) 由于代沟，一些青少年觉得跟父母沟通很难，也不想跟他们沟通。		
________	____	____

E 回答问题

为什么一些青少年很难与别人相处？

F 学习反思

你有什么烦恼？这些烦恼对你的学习和生活有什么影响？你的父母和老师是怎样帮助你的？

G 学习要求

学会表达一种观点，掌握三个句子、五个词语。

7 阅读理解

从子女的角度看父母

俗话(sú huà)说“望子成龙，望女成凤(fèng)”。每个家长都希望孩子出色，希望孩子能超越(chāo yuè)自己，但不是每个孩子都能得第一，不是每个孩子都能当领导(lǐng dǎo)，也不是每个孩子都在艺术、音乐或体育方面有天赋(tiān fù)。

很多父母在教育孩子时都会与现实脱节(xiàn shí tuō jié)。有些父母喜欢拿自己的孩子跟其他孩子比较。如果自己的孩子比其他孩子好，他们就觉得脸上有光、很自豪(zì háo)。如果自己的孩子不如其他孩子，他们就觉得丢(diū)了面子。有些父母把学习成绩看得过重。如果孩子的考试成绩不理想，他们便会失望、生气，甚至打骂孩子。有些父母对孩子交的朋友不放心，什么事都要问，缺少(quē shǎo)信任感。

说实话，现在孩子的精神(jīng shén)压力比父母想象的大得多。社会上的竞争越来越激烈，孩子要学好各门功课，还要具有各种技能：判断力、合作能力、领导能力、组织能力等等。除了做功课以外，很多孩子还要参加训练课程或者上补习班，几乎没有休息的时间。

请家长们多从子女的角度想一想，理解孩子，与孩子更好地相处，让孩子健康地成长。

A 写意思

1) 角度：________
2) 领导：________
3) 天赋：________
4) 现实：________
5) 面子：________
6) 精神：________

B 选择（答案不只一个）

有些家长不现实地希望孩子 ____。

a) 比自己有出息　　b) 将来当领导

c) 在艺术、音乐等方面有天分　　d) 各门考试都得满分

C 判断正误，并说明理由

	对	错
1) 在教育子女方面，很多家长的想法跟现实不匹配。 ________________	____	____
2) 如果自己孩子的学习成绩比其他孩子差，家长会觉得不光彩。 ________________	____	____
3) 如果孩子考试成绩不好，有些家长会发脾气，甚至打骂孩子。 ________________	____	____
4) 在竞争激烈的社会，父母的压力比子女大得多。 ________________	____	____

D 回答问题

1) 如果孩子的成绩不好，父母可能会怎样？

2) 除了学习好以外，现在的学生还要具备哪些技能？

3) 为什么很多学生几乎没有时间休息？

E 学习反思

父母在学习上对你有什么要求？如果你达不到要求，他们会怎么样？

F 学习要求

学会表达一种观点，掌握三个句子、五个词语。

从父母的角度看子女

现在一些家长对子女不太满意。让家长感到不满的主要有以下几点。

第一，由于物质条件比较优越，现在的孩子过着“衣来伸(shēn)手，饭来张口”的日子，根本不知道“苦”是什么滋味(zī wèi)。他们在生活上往往不懂得节省，花钱大手大脚的。有些孩子经受不住物质的诱惑(yòu huò)，手机、电脑等电子产品总是要更新换代，而不去体谅(tǐ liàng)父母挣钱(zhèng qián)的辛苦。

第二，有些孩子缺乏理想，整天混(hùn)日子。即使(jí shǐ)学习成绩不好也没有压力，一点儿都不着急。

第三，有些孩子没有志气(zhì qì)，做事没有毅力。他们像温室里的花朵一样，经不起风雨。一遇到困难就想退缩(tuì suō)，缺乏积极向上的精神。

第四，有些孩子在家里被宠坏了，比较自我、自私。他们不懂得顾及(gù jí)别人的感受，很难跟人合作。

第五，有些孩子自律能力很差，有的甚至沉迷于网络、电脑游戏。他们在学习上不自觉，需要老师和家长不断催促(cuī cù)。他们不懂得如何管理时间。

总的来说，很多家长觉得如今的孩子没有紧迫(jǐn pò)感、安于现状(ān yú xiànzhuàng)、贪图享受(tān tú xiǎngshòu)。家长们恨铁不成钢，衷心盼望(zhōng xīn pàn wàng)孩子尽早成熟起来。

A 写意思

1) 诱惑：________

2) 体谅：________

3) 退缩：________

4) 顾及：________

5) 催促：________

6) 享受：________

B 选择（答案不只一个）

很多家长对孩子不太满意，因为 ____。

a) 有些孩子不体谅父母挣钱不容易，花钱大手大脚的

b) 有些孩子不考虑自己的前途，过一天算一天

c) 有些孩子以自我为中心，不考虑别人的感受

d) 有些孩子整天只知道上网，对学习不感兴趣

e) 有些孩子满足于现状，不求进步

C 判断正误，并说明理由

	对	错
1) 现在的孩子不用担心基本的吃喝问题。 ____________	____	____
2) 看到其他人有新款的手机，很多孩子也想赶时髦，也要换手机。 ____________	____	____
3) 有些孩子不重视学习，成绩不好也不着急，不为自己的将来打算。 ____________	____	____
4) 很多孩子比较消极，碰到困难就想退缩。 ____________	____	____

D 回答问题

1) 为什么说现在的孩子过着“衣来伸手，饭来张口”的日子？

2) 为什么有的孩子很难跟别人合作？

3) 总的来说，家长认为现在的孩子有什么问题？

E 学习反思

你身上有哪些父母不满意的特点？你觉得他们的批评有道理吗？为什么？

F 学习要求

学会表达一种观点，掌握三个句子、五个词语。

9 根据实际情况回答问题

1) 你们学校谈恋爱的学生多吗？他们一般从几年级开始谈恋爱？

2) 你的同学中有没有人谈恋爱？他们的父母对这件事持什么态度？

3) 谈恋爱的同学学习受到影响了吗？是好的影响还是坏的影响？

4) 你的朋友对中学生谈恋爱有什么看法？

5) 你赞成中学生谈恋爱吗？为什么？

6) 你羡慕正在谈恋爱的情侣吗？为什么？

7) 你觉得什么年龄谈恋爱比较合适？为什么？

8) 你心情不佳、伤心、苦恼时会做什么？哪些人会来安慰你？

9) 朋友对你来说重要吗？应该如何保持朋友间的友谊(yǒu yì)？

10) 友谊出现危机的时候，你会如何处理？请举例说明。

11) 你课余时间一般跟朋友一起做什么？

12) 你现在是不是把主要精力都放在学业上了？你课余时间一般做什么？

10 成语谚语

A 成语配对

□ 1) 雨后春笋(sǔn)	a) 比喻事物复杂，无法辨清(biànqīng)。
□ 2) 家喻(yù)户晓(xiǎo)	b) 比喻事物迅速(xùn sù)、大量地涌现(yǒngxiàn)出来。
□ 3) 遥(yáo)遥领先	c) 比喻技艺(jì yì)很纯熟(chún shú)或事情很顺利。
□ 4) 眼花缭(liáo)乱	d) 家家户户都知道，人人都明白。
□ 5) 得心应手	e) 远远地走在最前面，多指成绩。

B 中英谚语同步

1) 患难见真情。 A friend in need is a friend indeed.

2) 有福同享，有难同当。 Share bliss and misfortune together.

3) 近朱(zhū)者赤(chì)，近墨者黑。 If you live with a lame person, you will learn to limp.

11 文体

博客格式

http://blog.sina.com.cn/limingblog

xx 的博客

标题（xx 年 xx 月 xx 日 xx:xx）

□□正文（包括问题所在、举例说明、个人观点）。

□□大家怎么看这个问题呢？欢迎给我留言。

阅读（xx）┆评论（xx）┆收藏（xx）┆转载（xx）┆喜欢▼┆打印

12 写作

题目 有人说“朋友对青少年的影响比父母大”。请写一篇博客，谈谈你的看法。

以下是一些人的观点：

- 坏朋友会给你带来负面的影响。你也有可能去抽烟、喝酒，甚至吸毒。
- 如果朋友有网瘾，你也很容易沉迷于网络。
- 好朋友可以给你带来积极的影响。你们在学习方面可以互相帮助，共同进步。
- 跟心智成熟的朋友在一起，你会变得更成熟、更有责任心。

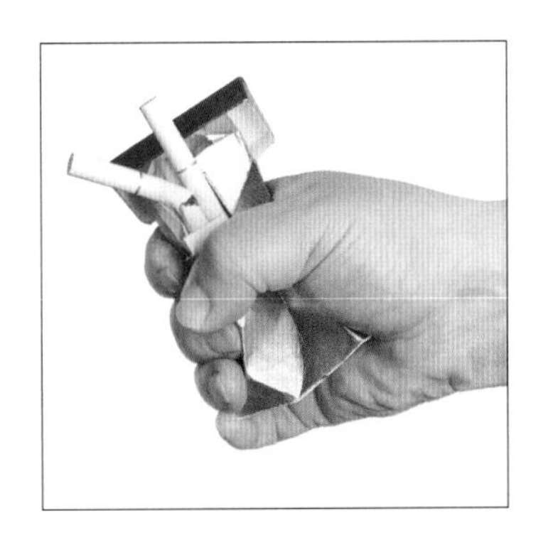

你可以用

a) 中国有句俗话说：“近朱者赤，近墨者黑。”就是说交什么样的朋友，就可能变成什么样的人。

b) 好朋友会给你带来正面的影响，带你一起朝着积极的方向发展。

c) 中国的俗语说：“有其父，必有其子。”这句话的意思是父母对孩子的教育非常重要。

d) 家庭教育是孩子接受时间最长、影响最深的教育。

e) 父母是孩子的第一任老师。孩子最初的言行是从父母那里学到的。

f) 孩子良好的习惯是在父母的教育和影响下形成的。

中国人的家庭观

汉语中的一些词，如孝顺、尊老爱幼、夫妻和睦(hé mù)、家和万事兴等，可以反映(fǎn yìng)出中国人的家庭观念特别强。中国人的家庭观念主要表现在以下三个方面。

一是包括祖父母、父母和子女的三代式家庭，是中国传统的基本(jī běn)家庭单位(dān wèi)。在家里，父母照顾子女的生活，一直到子女成家。家是子女最坚强的后盾(hòu dùn)。有些子女即使结了婚，如果经济上不能独立，仍然(réng rán)会跟父母一起住。小夫妻有了孩子后，双方的父母一般会帮忙照看孙子、孙女，一直到他们上幼儿园或小学。中国的家庭，一方面长辈对子女很关心重视，另一方面孩子也愿意照顾、陪伴父母和祖父母，并把赡养老人看作自己应尽的责任。

二是家族观念。传统的中国家族还包括已经过世的祖先(zǔ xiān)。人们为自己的家族感到骄傲和自豪。很多有名望的家族，比如孔氏(kǒng shì)家族，都会记录(jì lù)每一代祖先的姓名。

三是同乡观念。中国人不仅对自己的家族有特殊(tè shū)的感情。如果在外地碰到同乡的人，也会像见到家人一样，感到十分亲切(qīn qiè)。就像中国的一句俗话："美不美，家乡水。亲不亲，故乡(gù xiāng)人。"

A 选择

“美不美，家乡水。亲不亲，故乡人。”的意思是______。

a) 家乡的风景一定比其他地方的漂亮

b) 同乡人比亲人还亲

c) 无论怎样，家乡和同乡人都是亲切的

d) 家人之间的感情是最好的

B 组词并写出意思

1) 尊老______：____________

2) 家庭______：____________

3) 坚强______：____________

4) 经济______：____________

5) 赡养______：____________

C 配对

☐ 1) 在中国的家庭里，

☐ 2) 家是子女最坚强的后盾，

☐ 3) 中国人认为赡养父母

☐ 4) 中国人一般为自己的家族

☐ 5) 如果在外地碰到同乡的人，

a) 感到骄傲，还会记录每一代祖先的名字。

b) 家长会照顾子女，一直到他们成家。

c) 中国人会感到很亲切。

d) 是子女应尽的责任。

e) 不管发生什么事，子女都可以依靠家人。

D 判断正误，并说明理由

	对	错
1) 在中国家庭中，年轻夫妻的父母一般会照看孙子、孙女。		
____________________	____	____
2) 在中国家庭中，子女一般会照顾、陪伴长辈。		
____________________	____	____

E 回答问题

1) 孝顺、尊老爱幼、家和万事兴等词反映了中国人的什么观念？

2) 中国人的家庭观念主要表现在哪些方面？

F 学习反思

1) 在中国的传统家庭观念中，你认同哪项？为什么？

2) 在你们国家祖父母会帮忙照看孙子、孙女吗？你觉得这样做有什么好处？

G 学习要求

学会表达一种观点，掌握三个句子、五个词语。

第二单元复习

生词

第四课

记者	专家	其	成因	及	逃学
瘾	沉迷	偷	抽烟	吸毒	造成
不当	教育	形成	逆反	心理	同辈
负面	迅速	发展	大众	传媒	日益
消极	家长	办法	正面	激发	引导
有益	身心	表扬	朝	积极	接受
采访					

第五课

通知	山东	贫困	县	教授	该
备课	设计	出发	组织	捐款	筹款
此	品德	家境	贫穷	条件	朴实
礼貌	好客	珍惜	勤奋	开阔	眼界
乡村	差别	农村	真正	含义	更加
拥有	一切	将来	登录	网站	

第六课

恋爱	现象	普遍	时常	情侣	情景
羡慕	却	共同	佳	安慰	时光
成为	美好	回忆	看来	出现	感情
危机	分手	双方	伤心	苦恼	赞成
心智	把握	情感	爱情	回	处理
确定	再说	总之	学业	课余	留言
评论	收藏	转载	打印		

短语 / 句型

• 青少年问题专家 • 青少年的不良习惯、其成因，及如何预防、改掉这些坏习惯
• 青少年的坏习惯主要有逃学、有网瘾、沉迷于电脑游戏、偷东西、抽烟，甚至吸毒等
• 造成这些坏习惯的原因 • 家庭的不良影响 • 父母不当的教育方式
• 形成逆反心理 • 受到同辈的影响 • 迅速发展的大众传媒
• 日益扩大 • 给青少年带来了消极的影响
• 想办法让青少年多接触正面的信息 • 激发他们的学习兴趣
• 培养一些有益于身心健康的兴趣爱好 • 多表扬青少年的好习惯
• 使他们朝着积极的方向发展 • 谢谢您接受我的采访

• 今年的"中国周"期间 • 去中国山东省一个贫困县的小学做义工
• 做好充分的准备 • 备课、设计教学活动 • 出发以前 • 组织捐款活动
• 参加过此项活动的同学 • 让他们印象最深的是贫困地区学生的品德
• 家境贫穷 • 生活条件不好 • 朴实、礼貌、热情、好客 • 珍惜时间
• 勤奋学习 • 向他们学习 • "中国周"能使同学们开阔眼界 • 城市和乡村的差别
• 对中国的农村有进一步的了解 • 通过一个星期的体验
• 真正理解"身在福中要知福"的含义 • 更加珍惜现在拥有的一切
• 将来更好地服务社会 • 请登录学校网站报名

• 中学生谈恋爱的现象比以前更普遍了 • 校园里时常能看到小情侣们在一起
• 尽管这情景有时候也令人羡慕，但我个人却认为中学生不应该谈恋爱
• 有人说中学生谈恋爱可以培养责任心 • 互相鼓励 • 共同进步
• 心情不佳 • 在一起的时光 • 美好的回忆 • 我不完全同意这种看法
• 在我看来 • 不管在校内还是校外 • 出现感情危机 • 双方都会十分伤心、苦恼
• 我不赞成中学生谈恋爱 • 学业繁忙 • 心智还不成熟
• 不能把握自己的情感 • 不能真正理解爱情是怎么回事 • 中学生的将来很不确定
• 把主要精力放在学业上 • 欢迎给我留言

3 第3单元 | 第七课 《功夫熊猫》观后感

生词

1. 片 (piàn) movie; film 动画片 (dònghuàpiàn) cartoon
2. 功夫 (gōng fu) *kongfu*
3. 映 (yìng) project a movie 公映 (gōngyìng) (film) released to the public
4. 观众 (guānzhòng) audience

   动画片《功夫熊猫》一公映就受到了世界各地观众的喜爱。

5. 故事 (gù shi) story
6. 述 (shù) narrate 讲述 (jiǎngshù) tell about
7. 斗（鬥）(dòu) fight 斗士 (dòu shì) warrior

   故事讲述了熊猫阿宝成为龙斗士的经历。

8. 营 (yíng) operate; manage 经营 (jīngyíng) operate; manage
9. 亲 (qīn) parent 父亲 (fù qīn) father
10. 承 (chéng) continue 继承 (jì chéng) inherit; carry on
11. 生意 (shēng yi) business
12. 侠（俠）(xiá) chivalrous expert swordsman
13. 谷 (gǔ) valley
14. 误（誤）(wù) accidental
15. 撞 (zhuàng) meet by chance

    误打误撞 (wù dǎ wù zhuàng) as luck would have it

    和平谷要选一名龙斗士。阿宝误打误撞被选上了。

16. 笨 (bèn) clumsy
17. 拙 (zhuō) clumsy 笨拙 (bènzhuō) clumsy
18. 胆（膽）(dǎn) courage 胆小 (dǎnxiǎo) timid
19. 武功 (wǔ gōng) martial arts
20. 林 (lín) circles 武林 (wǔ lín) martial arts circles
21. 手 (shǒu) a person with a certain skill 高手 (gāoshǒu) expert
22. 看不起 (kàn bu qǐ) look down upon

    阿宝经常被其他武林高手看不起。

23. 弃（棄）(qì) abandon 放弃 (fàng qì) give up
24. 终 (zhōng) end 最终 (zuì zhōng) final
25. 败（敗）(bài) defeat 打败 (dǎ bài) defeat
26. 豹 (bào) leopard
27. 美感 (měi gǎn) sense of beauty
28. 享受 (xiǎngshòu) enjoy
29. 启（啟）(qǐ) inspire 启示 (qǐ shì) inspiration

    电影不仅给我带来了快乐，还让我得到了美感享受和人生启示。

30. 面 (miàn) surface 画面 (huàmiàn) picturesque presentation
31. 活龙活现 (huó lóng huó xiàn) vivid
32. 幽默 (yōu mò) humourous
33. 联系（繫）(lián xì) contact with
34. 碰 (pèng) come across
35. 避 (bì) avoid 逃避 (táo bì) escape
36. 失 (shī) lose 失去 (shī qù) lose
37. 信心 (xìn xīn) confidence

    联系到我自己，在学习、生活中碰到困难时我总是想逃避，容易失去信心。

38. 勇 (yǒng) brave 勇气 (yǒng qì) courage
39. 面对 (miàn duì) face; confront
40. 克 (kè) overcome 克服 (kè fú) overcome

    从今以后，我会提醒自己要鼓起勇气面对问题，想办法克服困难。

1 完成句子

1) 动画片《功夫熊猫》一公映就受到了世界各地观众的喜爱。

____ 受到 ____ 的喜爱。

2) 电影不仅给我带来了快乐，还让我得到了美感享受和人生启示。

____ 不仅 ____，还 ____。

3) 经过勤学苦练，他练就了一身好武功，最终打败了雪豹太郎。

经过 ____，____，最终 ____。

4) 阿宝一直梦想成为功夫大侠。

____ 一直梦想 ____。

5) 联系到我自己，在学习、生活中碰到困难时我总是想逃避，容易失去信心。

联系到我自己，____。

6) 从今以后，我会提醒自己要鼓起勇气面对问题，想办法克服困难。

从今以后，____。

2 听课文录音，做练习

A 回答问题

1) 《功夫熊猫》讲述了一个什么样的故事？

2) 阿宝的父亲希望他以后做什么？

3) 阿宝是怎样练就一身好武功的？

B 选择（答案不只一个）

1) 阿宝 ____。

a) 想继承父亲的生意

b) 想成为一名功夫大侠

c) 打败了雪豹太郎，成为了真正的龙斗士

2) 这部动画片的 ____。

a) 故事非常有意思

b) 画面很漂亮，给人美的享受

c) 每个角色都十分笨拙可爱

3) 看了这部动画片以后，她 ____。

a) 学到了碰到困难不能放弃，要鼓起勇气面对

b) 如果在学习中遇到难题，会想办法解决

c) 也想成为功夫大侠

课文 

《功夫熊猫》观后感

动画片《功夫熊猫》一公映就受到了世界各地观众的喜爱。

故事讲述了熊猫阿宝成为龙斗士的经历。经营面馆的父亲希望阿宝继承家里的生意，但阿宝却一直梦想成为功夫大侠。一天，和平谷要选一名龙斗士。阿宝误打误撞被选上了。虽然阿宝笨拙、胆小，没有武功基础，经常被其他武林高手看不起，但是他没有放弃。经过勤学苦练，他练就了一身好武功，最终打败了雪豹太郎，保护了和平谷。阿宝也因此成为了真正的龙斗士。

电影不仅给我带来了快乐，还让我得到了美感享受和人生启示。动画片的画面非常美，角色活龙活现，既可爱又幽默。电影还给了我很大的启示。从阿宝身上，我认识到遇到困难时不能放弃，只要不断努力，就一定会成功。联系到我自己，在学习、生活中碰到困难时我总是想逃避，容易失去信心。从今以后，我会提醒自己要鼓起勇气面对问题，想办法克服困难。

3 小组讨论

要求 小组讨论各自在学习中遇到过的困难，以及是怎样克服的。

讨论内容包括：

- 你今年有哪几门课
- 你觉得哪门课难学
- 你遇到了哪些困难
- 你是怎样克服这些困难的

例子：

同学 1：我今年有九门课：英语、汉语、数学、物理、化学等等。在这九门课中，我觉得汉语比较难。我的汉语成绩不太好。这令我很烦恼。

同学 2：你觉得汉语哪方面比较难？

同学 1：口语和写作。我平时很少练习口语，说得很不流利。因为我的词汇量比较小，所以写作文时总是遇到问题。

同学 3：你和父母说过你的烦恼吗？你是怎样克服这些困难的呢？

同学 1：说过。我妈妈有些担心，所以这个学期给我请了一个家教。我现在有更多的机会练习说汉语了。

同学 2：那你是怎样提高写作水平的呢？

同学 1：我现在每天都记十个生词。我还尽量把课文背下来。我每星期都写一篇作文。家教老师会帮我改作文，并给我一些建议。

同学 3：这些方法都很好。坚持下去，你的汉语一定会进步的。我的汉语还不错，但数学很差。这次数学测验我只得了 65 分，刚及格。

……

你可以用

a) 老师上课用汉语讲课。我只有非常认真听才能听懂。

b) 如果遇到生词，我会把它们抄到生字本上，每个词抄五遍。

c) 经过一个学期的努力，在听力和口语方面，我现在能听懂别人说话的大意了，说汉语也更自信了。在阅读和写作方面，我的词汇量增加了，作文里的错别字也比以前少了。

d) 在学习的过程中，我养成了一些好习惯。我每天都背生词、造句、翻译句子，每周都写一篇作文。

e) 我今年暑假参加了一个汉语短训班。通过一个月的强化训练，我的听、说、读、写四项技能都得到了相当大的提高。

4 用所给结构及词语写句子

1) 故事讲述了熊猫阿宝成为龙斗士的经历。 → 讲述　体验
2) 动画片中的角色活龙活现，既可爱又幽默。 → 既……又……　笨拙
3) 从阿宝身上，我认识到遇到困难时不能放弃。 → 从……身上　看到
4) 只要不断努力，就一定会成功。 → 只要……就……　勤学苦练
5) 动画片《功夫熊猫》一公映就受到了世界各地观众的喜爱。 → 一……就……　碰到

5 小组讨论

要求 小组讨论各自的兴趣爱好。

例子：

同学 1： 我有很多爱好。我喜欢运动，还喜欢摄影和画国画。

同学 2： 你喜欢做什么运动？

同学 1： 我喜欢游泳和跑步。我从五岁就开始学游泳了，我爸爸是我的游泳教练。

同学 2： 你是从什么时候开始摄影的？

同学 1： 去年过生日，父母送给我一部数码相机。从那时起，我开始学习摄影。现在我越来越喜欢拍照了。

同学 2： 你喜欢拍人物、动物还是静物(jìng wù)呢？你最满意的照片是哪张？

同学 1： 我喜欢拍动物和静物。我觉得拍人很难。我最满意的一张照片拍的是我家的小猫。那张照片的构图(gòu tú)和颜色都很好，感觉很温馨(wēn xīn)。

……

你可以用

a) 学校为我们提供了丰富多彩的课外活动。我喜欢音乐，所以这个学期参加了学校的交响乐队和合唱队。

b) 我喜欢看动画片。我最近看了动画片《西游记》，里面的角色活龙活现的。我特别喜欢美猴王。他又聪明又厉害。

c) 我的爱好是打羽毛球。去年我参加了全市中学生羽毛球比赛，获得了男子单打冠军。

d) 我从小就打冰球。我是学校冰球队的队长。我们每个星期都有训练，还经常参加比赛。

6 阅读理解

不能让孩子输在起跑线上

关于“不能让孩子输在起跑线上”的观点，同意这个观点的家长认为：

家长 1： 如果孩子输在起跑线上，一路都会落后（luò hòu）。不能等人家跑出几百米了才起跑。

家长 2： 学校应该从入学时就抓紧（zhuā jǐn），多教孩子一些知识，多让孩子做一些功课，多给孩子一些测验，这样才能提升（tí shēng）他们的竞争力。

家长 3： 上补习班、培训班、兴趣班，对孩子的将来是有好处的。现在竞争这么激烈，不从小努力，以后怎么来得及？

反对这个观点的家长认为：

家长 1： 人生不是短跑比赛，而是马拉松（mǎ lā sōng）。输在起跑线上不一定最后会输，赢（yíng）在起跑线上不一定最后会赢。

家长 2： 人生的最初阶段学到多少知识不是那么重要，重要的是培养孩子的学习兴趣和学习习惯。

家长 3： 孩子小的时候，保护他们的好奇心和想象力，培养他们的探索（tàn suǒ）精神、创造性、独立性、社交能力和团队精神更重要。

A 选择（答案不只一个）

1) 同意这个观点的家长认为如果他们的孩子 ______。
   a) 小时候不努力，以后在学习上会跟不上其他同学
   b) 应该从小就多做习题，这样才能走在其他同学的前面
   c) 有了兴趣爱好，学习成绩一定会更好

2) 反对这个观点的家长认为 ______。
   a) 孩子不是学得越早越好，学得越多越好
   b) 如果孩子早学、多学，他们以后的成绩就会好
   c) 孩子小时候培养他们的社交能力和创造力比多学知识更重要

B 回答问题

在短文中“不能让孩子输在起跑线上”是什么意思？

C 学习反思

关于“不能让孩子输在起跑上”，你持什么观点？

7 阅读理解

成功的秘诀(mì jué)

成功是每个人的梦想。要想成功，第一要有先天条件，第二要靠后天努力，第三还要看运气。先天条件和运气是我们不能控制(kòng zhì)的。如果想要成功，只能不断地努力。努力与成功在一定程度上是成正比的，越努力成功的机率(jī lǜ)就越大。以下是努力取得成功的九大要素(yào sù)：

一、目标：有了目标才有努力的方向。设立(shè lì)目标之前要认真研究、探讨。

二、信念：要相信自己的能力。只要努力朝着设定的目标奋斗，就会一步步走向成功。

三、勇气：要敢于(gǎn yú)尝试、创新、挑战自己。要经得起磨炼，受得起打击(dǎ jī)。跌(diē)倒(dǎo)了，要爬(pá)起来，坚持不懈(xiè)。

四、热情：要以积极、正面、向上的态度去做每一件事。

五、勤奋：要投入全部的精力和时间。懒字当头，将一事无成。

六、自律：要有很强的自控能力，充分利用每一分钟。

七、合作：要善于沟通，领导团队朝着正确的方向努力。

八、追求完美：做任何事都要不断改进，达到完美的程度。

九、不断学习：在信息大爆炸(bào zhà)的时代，只有不断充实(chōng shí)自己，接受新知识，才能与(yǔ)时俱进(shí jù jìn)，取得成功。

A 写意思

1) 控制：________________

2) 奋斗：________________

3) 敢于：________________

4) 打击：________________

5) 追求：________________

6) 充实：________________

B 选择

1) “一事无成”的意思是 ______。

a) 什么事都没做成　b) 什么事都没发生

c) 什么事都不会做　d) 无事生非

2) “与时俱进”的意思是 ______。

a) 跟别人相比　b) 跟别人竞争

c) 跟时间赛跑　d) 跟时代一起进步

C 写反义词

1) 失败 → ______

2) 先天 → ______

3) 反比 → ______

4) 消极 → ______

5) 负面 → ______

6) 懒惰 → ______

D 配对

☐ 1) 一个人越努力，	a) 要相信自己的能力。
☐ 2) 一个人要有信念，	b) 不断学习新知识。
☐ 3) 成功的道路上一定有失败，	c) 成功的机率就越大。
☐ 4) 成功人士珍惜时间，	d) 能很好地领导团队。
☐ 5) 成功人士善于跟人沟通，	e) 要经得起打击。
☐ 6) 成功人士知道学习的重要性，	f) 有很强的自控能力。

E 判断正误

☐ 1) 除了先天条件和运气以外，后天的努力也十分重要。

☐ 2) 目标很重要。可以先确定目标，然后再认真探讨。

☐ 3) 成功人士都有梦想，而且他们的梦想很不现实。

☐ 4) 成功人士会以正面、积极的态度去做事情。

☐ 5) 成功人士总是追求完美，永远都不能让他们满意。

F 学习反思

成功的九大要素，你具备了哪几点？你还有哪些不足？

G 学习要求

学会表达一种观点，掌握三个句子、五个词语。

8 阅读理解

屠呦呦(tú yōu yōu)

2015 年 10 月，屠呦呦以 85 岁高龄创造了好几个第一。她是第一位获得诺贝尔(nuò bèi ěr)科学奖的中国本土科学家。她是第一位获得诺贝尔生理医学奖的华人科学家。她为中国医学界获得了最高奖项(jiǎngxiàng)。她为中医药成果获得了最高奖项。

屠呦呦 1930 年 12 月 30 日生 ____① 浙江宁波(zhè jiāngníng bō)。1951 年，她考入北京大学，在医学院药学系主修(zhǔ xiū)生药专业。大学期间，她学习努力，取得了优异(yōu yì)的成绩。大学毕业后，她接受了两年半的中医培训(péi xùn)。____②，她一直在中国中医科学院从事中药和中西药结合方面的研究。1972 年，她带领团队成功研制(yán zhì)了新型抗疟(xīn xíngkàng nüè)药青蒿素(yào qīng hāo sù)和双氢(qīng)青蒿素。这种药物可以有效降低疟疾患者(yǒu xiào jiàng dī nüè ji huàn zhě)的死亡(sǐ wáng)率，挽救(wǎn jiù)了数百万人的生命。

屠呦呦的成功之路并不是一帆风顺(yì fān fēngshùn)的。多年来，她领导她的团队收集 ____③ 整理(zhěng lǐ)了大量的医学书籍以及两千多个民间药方，编写(biān xiě)了六百多种抗疟疾的药方，并对其中两百多种中药开展(kāi zhǎn)了实验研究。在经历了三百八十多次失败之后，她和她的团队 ____④ 发现了青蒿素。

屠呦呦一辈子都在勤奋、努力地工作。她不怕困难、永不言弃(yǒng bù yán qì)的精神值得年轻一代好好学习。

A 选词填空

终于　之后　刚
甚至　于　并

1) ______

2) ______

3) ______

4) ______

B 写意思

1) 优异：________________
2) 研制：________________
3) 降低：________________
4) 挽救：________________
5) 生命：________________
6) 开展：________________

C 选择

“一帆风顺”的意思是 ______。

a) 困难重重
b) 非常顺利
c) 不断有挫折
d) 艰难困苦

D 判断正误

☐ 1) 屠呦呦是第一位获得诺贝尔奖的中国人。
☐ 2) 2015 年之前，有华人科学家获得过诺贝尔生理医学奖。
☐ 3) 屠呦呦为中国医学界获得了最高奖项。
☐ 4) 屠呦呦对中药和中西药的结合很有研究。
☐ 5) 经历了几百次的实验研究失败后，屠呦呦和她的团队才发现青蒿素。

E 判断正误，并说明理由

	对	错
1) 屠呦呦二十一岁时考上了北京大学。 ________________________________	____	____
2) 在大学里，屠呦呦读的是中药专业。 ________________________________	____	____
3) 屠呦呦和她的团队编写了两千多个抗疟疾的药方。 ________________________________	____	____

F 回答问题

1) 新型抗疟药青蒿素和双氢青蒿素有什么作用？

2) 年轻人应该从屠呦呦身上学习什么？

G 学习反思

从屠呦呦这位杰出的科学家身上，你学到了什么？

H 学习要求

学会表达一种观点，掌握三个句子、五个词语。

9 根据实际情况回答问题

1) 《功夫熊猫》第一部、第二部和第三部，你都看过吗？你最喜欢哪部？为什么？

2) 你还看过其他功夫电影吗？你喜欢看谁演的功夫电影？为什么？

3) 你最近看了什么电影？哪部电影让你受到很大的启示？请介绍一下这部电影和你的感受。

4) 你在学习或做课外活动时做到勤奋学习、努力练习了吗？请讲一讲你的经历。

5) 你遇到困难时会想逃避吗？你会想办法克服困难吗？请举例说明。

6) 碰到困难，你会跟父母讲还是跟朋友讲？请讲一讲你的经历。

7) 你父母或祖父母有自己的生意吗？他们希望你继承家里的生意吗？你是怎样想的？

8) 父母希望你将来做什么？为什么？

9) 你将来想做什么？父母支持你的梦想吗？

10) 为了实现梦想，你做了哪些准备？

11) 梦想对一个人来说重要吗？为什么？

10 成语谚语

A 成语配对

☐ 1) 日积月累	a) 形容精神高度集中。
☐ 2) 梦寐(mèi)以求	b) 亲耳听到，亲眼看见。
☐ 3) 聚精会神	c) 人的言语、举动(jǔ dòng)、行为。
☐ 4) 言谈举止	d) 指长时间不断地积累。
☐ 5) 耳闻目睹(dǔ)	e) 形容迫切(pò qiè)地期望着。

B 中英谚语同步

1) 三思而后行。 Look before you leap.

2) 不经一事，不长一智。 Experience is the mother of wisdom.

3) 己所不欲(jǐ suǒ bú yù)，勿施于人(wù shī yú rén)。 Treat other people as you hope they will treat you.

11 文体

观后感格式

《xxx》观后感

- 电影《xxx》讲述了……的故事／……的经历。
- 正文：简单介绍这部电影的内容，以及电影中让你印象最深的地方（可以选择一两点分别谈）。
- 结合自己的生活谈感想、收获及启示。
- 总结。

读后感格式

《xxx》读后感

- 读完《xxx》（书或者文章），我被……深深地……了。
- 正文：简单介绍这本书或者这篇文章的内容，以及其中让你印象最深的地方（可以选择一两点分别谈）。
- 结合自己的生活谈感想、收获及启示。
- 总结。

12 写作

题目1 请写一篇观后感或读后感。

题目2 经过一次挫折，你成长了，有很多感受和收获。请讲一讲你的经历。

中国的南北差异(chā yì)

中国北方和南方的主要分界线(fēn jiè xiàn)是秦岭(qín lǐng)—淮河(huái hé)一线。秦岭、淮河以北的地区叫北方，以南的地区叫南方。北方和南方在气候(qì hòu)、饮食、方言、建筑等方面有很大差异。

在气候方面，北方四季分明，冬天冷夏天热，气候干燥少雨。南方一年四季山青水绿，气候温和，雨水较多，比较潮湿(cháo shī)。北方出产的农作物(nóng zuò wù)主要有小麦(xiǎo mài)、玉米、大豆和棉花(mián huā)。南方出产的农作物主要有水稻(shuǐ dào)、油菜、甘蔗(gān zhe)和茶叶。长江中下游一带物产丰富，是有名的“鱼米之乡”。

在饮食方面，北方人喜欢吃面粉做的食物，比如饺子、面条、包子、饼等。南方人喜欢吃米食，比如米饭、米粉、米线等。

在方言方面，北方大部分地区都属北方方言区。虽然各地方言的语音有差别，但交流没有太大困难。南方的方言比较繁杂(fán zá)，即使在同一方言区内也可能听不懂别人说的话。

在建筑方面，北方建筑多坐北朝南，强调阳光要好。北方建筑材料以砖(zhuān)石为主。南方建筑大多建在河的两岸(àn)，强调通风要好。南方建筑大多为木结构(jié gòu)或仿木(fǎng mù)结构的。

A 判断正误

☐ 1) 中国有南方和北方之分，南方和北方很不同。

☐ 2) 中国的北方春、夏、秋、冬四季分明。

☐ 3) 南方不常下雨，夏天不热，冬天不冷。

☐ 4) 在北方虽然不同方言的差别十分大，但是交流不成问题。

☐ 5) 北方人一般用砖造房子，而南方人住的房子一般是木结构的。

☐ 6) 用砖造的房子比用木头造的房子的通风更好。

B 判断正误，并说明理由

	对	错
1) 北方气候比较干燥，不常下雨。		
______	____	____
2) 南方主要种植小麦、玉米、大豆等农作物。		
______	____	____
3) 北方人喜欢吃饺子、面条、包子、饼等面食。		
______	____	____
4) 南方的方言很多。即使在同一个地区，人们也可能无法交流。		
______	____	____

C 回答问题

1) 中国的南方和北方以什么为分界线？

2) 南方和北方在哪些方面有很大的差异？

3) 你觉得南方人为什么喜欢吃米饭、米粉？

D 学习反思

1) 你有没有注意到现在的冬天没有以前冷了，而夏天比以前热多了？你觉得为什么会这样？

2) 你会说什么语言？会说什么方言？你是否赞成人在小时候应该多学几种语言？

E 学习要求

学会表达一种观点，掌握三个句子、五个词语。

生词

1. 封 fēng close down
2. 锁（鎖）suǒ lock (up) 封锁 fēngsuǒ blockade
3. 演讲 yǎnjiǎng deliver a speech
4. 题目 tímù subject; topic
5. 辩（辯）biàn argue 辩论 biànlùn debate

   最近很多同学都在辩论该不该在校园内封锁社交网。

6. 议题 yìtí topic for discussion

   对于这个议题，有的人支持，有的人反对。

7. 顾名思义 gùmíngsīyì as the term suggests
8. 网友 wǎngyǒu net pal
9. 互动 hùdòng interact
10. 平台 píngtái platform

    顾名思义，社交网是为网友提供的互动交流平台。

11. 相关 xiāngguān be related to
12. 相对 xiāngduì relative
13. 枯 kū uninteresting
14. 燥 zào dry 枯燥 kūzào uninteresting

    与相对枯燥的学习相比，浏览社交网更有吸引力。

15. 分散 fēnsàn distract
16. 注意力 zhùyìlì attention
17. 刺 cì stimulate 刺激 cìjī stimulate
18. 上瘾 shàngyǐn be addicted to
19. 忍 rěn bear

    一些同学玩儿游戏上瘾，甚至课上都忍不住想玩儿。

20. 专心 zhuānxīn concentrate one's attention
21. 听讲 tīngjiǎng attend a lecture
22. 致 zhì result in 以致 yǐzhì so that
23. 降 jiàng fall 下降 xiàjiàng fall
24. 争辩 zhēngbiàn argue
25. 进行 jìnxíng carry out
26. 进度 jìndù rate of progress
27. 完成 wánchéng complete
28. 专题 zhuāntí special subject; special topic
29. 研 yán research 研究 yánjiū research
30. 然而 rán'ér however
31. 众所周知 zhòngsuǒzhōuzhī as everyone knows

    然而，众所周知，社交网不是唯一的联络方式。

32. 径（徑）jìng way 途径 tújìng way; channel

    同学们使用其他途径也可以方便地沟通。

33. 扰（擾）rǎo disturb 干扰 gānrǎo disturb
34. 禁 jìn prohibit; ban 禁止 jìnzhǐ prohibit; ban

1 完成句子

1) 关于校内是否该封锁社交网，我想发表一下看法。

_____，我想发表一下看法。

2) 众所周知，社交网不是唯一的联络方式，同学们使用其他途径也可以方便地沟通。

众所周知，_____。

3) 顾名思义，社交网是为网友提供的互动交流平台。

顾名思义，_____。

4) 很多同学上课不能专心听讲，以致学习成绩下降。

_____，以致 _____。

5) 我个人认为校园内应该封锁社交网。

我个人认为 _____。

6) 总之，为了让同学们在学校专心学习、不受干扰，我认为学校应该禁止学生在校园内上社交网。

总之，_____。

2 听课文录音，做练习

A 回答问题

1) 王建代表谁做这个演讲？

2) 学校的同学是否支持校园内封锁社交网这个议题？

3) 王建对这个议题持什么态度？

B 选择（答案不只一个）

1) 支持在校园内封锁社交网的学生认为 _____。

a) 社交网能使枯燥的学习内容变得有趣

b) 随时可以登录社交网容易分散同学们的注意力

c) 社交网上的游戏很有吸引力，一些同学沉迷其中

d) 如果同学们上课不专心，他们的成绩会下降

2) 反对在校园内封锁社交网的学生认为社交网 _____。

a) 方便同学交流、沟通

b) 有利于同学完成学习小组的专题研究

c) 是学习小组成员唯一的联络途径

d) 能使同学们更专心地学习

课文

各位老师、各位同学：

大家好！我叫王建，是十一年级的学生代表。关于校内是否该封锁(fēng suǒ)社交网，我想发表一下看法。我演讲(yǎn jiǎng)的题目(tí mù)是“学校是否应该封锁社交网”。

最近很多同学都在辩论(biàn lùn)该不该在校园内封锁社交网。对于这个议题(yì tí)，有的人支持，有的人反对。我个人认为校园内应该封锁社交网。

顾名思义(gù míng sī yì)，社交网是为网友(wǎng yǒu)提供的互动(hù dòng)交流平台(píng tái)。人们可以随时登录社交网浏览与朋友相关(xiāng guān)的内容。与相对(xiāng duì)枯燥(kū zào)的学习相比，浏览社交网更有吸引力，一些同学沉迷其中。不封锁社交网，容易分散(fēn sàn)同学们的注意(zhù yì)力(lì)。再有，社交网上的游戏十分有趣、刺激(cì jī)。一些同学玩儿游戏上瘾(shàng yǐn)，甚至课上都忍(rěn)不住想玩儿。不封锁社交网，很多同学上课不能专心听讲(zhuān xīn tīng jiǎng)，以(yǐ)致(zhì)学习成绩下降(xià jiàng)。有的同学争辩(zhēng biàn)说社交网可以方便同学进行(jìn xíng)沟通、了解功课进度(jìn dù)，更好地完成(wán chéng)学习小组的专(zhuān)题研究(tí yán jiū)。然而(rán ér)，众所周知(zhòng suǒ zhōu zhī)，社交网不是唯一的联络方式，同学们使用其他途径(tú jìng)也可以方便地沟通。

总之，为了让同学们在学校专心学习、不受干扰(gān rǎo)，我认为学校应该禁(jìn)止(zhǐ)学生在校园内上社交网。

谢谢大家！

3 用所给结构及词语写句子

1) 对于这个议题，有的人支持，有的人反对。 → 对于　赞成
2) 与相对枯燥的学习相比，浏览社交网更有吸引力。 → 与……相比　实惠
3) 不封锁社交网，容易分散同学们的注意力。 → 容易　浪费
4) 社交网可以方便同学进行沟通。然而，社交网不是唯一的联络方式。 → 然而　影响

4 小组讨论

要求 小组讨论各自用电脑的习惯。

讨论内容包括：

- 自己用电脑的习惯
- 这些习惯是否会影响学习和生活
- 应该怎样改掉坏习惯

例子：

同学 1： 电脑的用途太多了。不管在学习、生活还是娱乐方面，电脑都扮演着重要的角色。

同学 2： 用电脑上网查资料，既方便又省时。我现在很少去图书馆了。

同学 3： 用电脑打字、写文章，又快又整齐。电脑还可以帮我改错呢！

同学 1： 我还喜欢用电脑播放音乐、电影。

同学 2： 你们有没有注意到每天都盯着电脑，眼睛觉得很累，视力也下降了。

同学 3： 对。我也有这种感觉。虽然电脑有很多用途，但是它可能会给我们带来负面的影响。我觉得我现在太依赖电脑了。

……

你可以用

a) 我经常用电脑看汉语视频。我认为这是练习听力的好方法。
b) 一些学习软件可以让相对枯燥的学习变得更有趣。
c) 因为我经常用电脑打字，所以现在很多字都不记得怎么写了。
d) 我认为电脑只能辅助我们学习，不能代替我们学习。
e) 我在电脑上花的时间越来越多了。妈妈总是提醒我不要太依赖电脑。

5 辩论

要求 与同学辩论是否应该在校园内封锁社交网。正方支持学校封锁社交网，反方反对学校封锁社交网。

例子：

正方： 我发现很多同学每天都在社交网上花大量的时间。这会影响他们的学习。我支持在校园内封锁社交网。

反方： 我反对。社交网是为人们进行互动交流而提供的网上平台，可以促进同学之间的沟通。

正方： 除了社交网以外，同学们还有很多其他途径可以进行沟通。

反方： 沟通的途径是很多，但是大部分都没有社交网方便。比如使用社交网，同学们可以随时沟通，分享资料，有助于更好地完成功课。

正方： 没有社交网，同学们面对面地沟通、讨论，效果不是更好吗？

反方： 在学校当然可以面对面地沟通、交流，但是在家里用社交网比打电话方便得多。

正方： 所以反方同学也同意，在校园里不需要社交网也可以很好地进行交流。那我们再来说说在学校使用社交网所带来的问题吧！有些同学总是上社交网浏览照片、帖子(tiě zi)。这会浪费很多时间。

反方： 作为学生我们要有自律的能力。关于正方同学说的问题，最好的解决途径是培养同学们自律的好习惯，而不是直接封锁社交网。

……

你可以用

a) 社交网方便小组成员分享图片和资料。

b) 即使在学校不能上社交网，在校外学生还是会花大量时间上社交网。

c) 学生上社交网可以开阔视野，受到教育。

d) 很多学生边学习边上社交网，结果注意力不集中，成绩也下滑了。

e) 如果校园里封锁了社交网，学生就不会整天想着网络上有趣的游戏了。他们可以更专心地学习。

f) 越来越多的人感觉到，有了社交网以后人与人之间的关系却变得更远了。

g) 学校是师生面对面沟通、学习的地方，不需要社交网。

6 阅读理解

网上交友的安全守则(shǒu zé)

如今网络越来越发达(fā dá)，网上交友的人越来越多。由于网络的虚拟(xū nǐ)性，网上交友存在(cún zài)一些安全隐患(yǐn huàn)。为了避免上当受骗(bì miǎn shàng dàng shòu piàn)，甚至受到侵犯(qīn fàn)，交网友时一定要有自我保护意识，必须遵守(zūn shǒu)网上交友的安全守则。

第一，不要轻易透露(qīng yì tòu lù)私人信息，如住址、电话号码、信用卡号码、银行卡密码(mì mǎ)等。如果对方要求你交出这些资料，一定要警觉(jǐng jué)。

第二，不要急着跟网友见面。要留意对方的信息是否有问题，是否前后矛盾(máo dùn)。如果感觉不对，就不要继续交往下去。

第三，如果希望与网友进一步交往，可以先跟网友电话联络。通过电话交谈能更清楚地了解对方的情况。

第四，如果决定跟网友约会，建议选择白天人流较多的场所，比如快餐店或咖啡馆。去约会时可以跟朋友同往，或告诉朋友、父母约会的时间和地点。约会时如果网友的任何行为或要求使你感到不安、害怕，就立刻停止(tíng zhǐ)约会(yuē huì)或向别人求助(qiú zhù)，甚至报警。

A 写意思

1) 避免：____________

2) 受骗：____________

3) 遵守：____________

4) 透露：____________

5) 警觉：____________

6) 停止：____________

B 判断正误

☐ 1) 如果网友给出的信息自相矛盾，最好停止交往。

☐ 2) 跟网友见面以前可以先通电话，多了解对方。

☐ 3) 千万不要在夜晚或者人流稀少的地方跟网友碰面。

☐ 4) 跟网友见面前，最好先告诉家人见面的时间和地点。

C 回答问题

1) 为什么遵守网上交友的安全守则很重要？

2) 在网上，如果有人让你交出银行账号及密码，你该怎么办？

3) 如果跟网友见面时，网友的行为让你感觉不安，应该怎么办？

7 阅读理解

每个人都在网络中

"你看，你一到家就上网，____①不帮我做饭，也不管孩子。这个家我没法管了！"

"我是在工作，不是在玩！"

"看你给孩子树立了什么榜样？他有样学样，现在____②一到家就打开电脑。你得管管他呀！"

父母这样的对话听多了，我的耳朵都磨（mó）出老茧（jiǎn）来了。妈妈总觉得我用电脑的时间太长了。她怎么也不明白我现在几乎所有的功课都离不开电脑。如果爸爸在家用电脑，妈妈也会很不高兴，____③他会给我树立不好的榜样。

最近一两个星期，我发现父母不吵了，家里出奇地安静。我今天放学回家，看见妈妈拿着手机坐在沙发上，我就上前去看个究竟（jiū jìng）。____④妈妈正用微信（wēi xìn）看帖子。妈妈还跟我分享了朋友传给她的视频和照片呢！

妈妈变了。她不____⑤抱怨我跟爸爸用电脑了，而是一有时间就刷手机。我们家也变了，连针掉在地上都听得见。在这个网络时代，好像没有一个人能躲（duǒ）开网络的影响。互联网让人们可以随时随地交流、沟通。____⑥，我现在常常会想：互联网在方便我们与远处的朋友沟通的同时，对我们与面前的家人的关系有什么影响呢？

A 选词填空

因为　也　既　再
原来　然而

1) ______　4) ______

2) ______　5) ______

3) ______　6) ______

B 选择

1)“这个家我没法管了”的意思是 ____。

a) 妈妈管不了这个家了

b) 爸爸同意做家务了

c) 以后“我”得做家务了

2)“他有样学样”的意思是 ____。

a) 妈妈和爸爸是“我”的好榜样

b) 妈妈让“我”跟爸爸学

c) “我”跟爸爸学，一回家就上网

3)“我的耳朵都磨出老茧来了”的意思是 ____。

a)“我”觉得家人关系不好

b)“我”听惯了父母的对话

c) 父母的对话干扰“我”学习了

4)“连针掉在地上都听得见”的意思是 ____。

a) 家庭生活很枯燥

b) 家里很安静

c) 每个人都忙自己的事情

C 判断正误

☐ 1) 妈妈喜欢用手机看视频、读帖子。

☐ 2) 妈妈现在不抱怨了，因为她自己也整天上网。

☐ 3) 由于妈妈沉迷于网络，总刷手机消磨时间，所以爸爸经常抱怨。

☐ 4) 现在我们一家人都总是用电脑上网。

☐ 5) 现在网络影响了我们全家人。

D 配对

☐ 1)“我”需要用电脑做作业，

☐ 2) 最近一两个星期，妈妈不抱怨了，

☐ 3) 在互联网发达的时代，

☐ 4) 妈妈用微信前，

a) 但是妈妈总以为“我”在消磨时间。

b)“我”与家人的关系更好了。

c) 每个人都成了网络的一分子。

d) 总是抱怨“我”和爸爸整天上网。

e) 因为妈妈整天都在刷手机。

E 学习反思

你一般上网做什么？你花在互联网上的时间多吗？这样对你有负面影响吗？

F 学习要求

学会表达一种观点，掌握三个句子、五个词语。

8 阅读理解

网络对青少年的影响

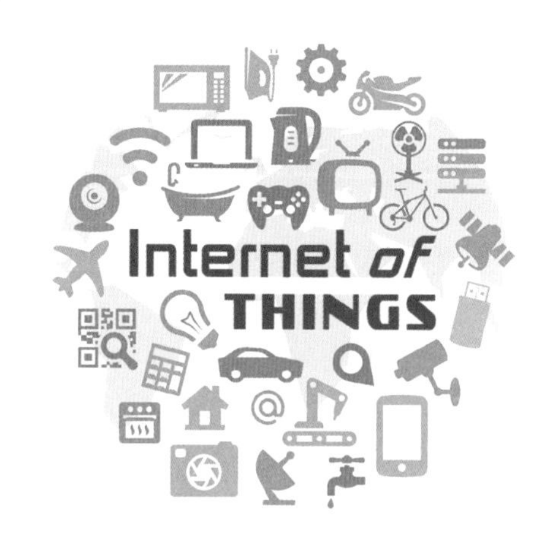

互联网的普及(pǔ jí)和迅速发展给人们的生活带来了巨大(jù dà)的变化。青少年学习和生活的方方面面都受到了互联网的深刻影响。

在某些方面，网络对青少年有积极、正面的影响，给他们带来了极大的方便。青少年不必去图书馆，在网上就能查到所需的资料了。他们不必碰头，在网上就能跟同学讨论功课、完成课题了。他们不必写信，在网上就能把信息传给他人了。

在另外一些方面，网络对青少年有消极、负面的影响，给了他们很多片面(piànmiàn)的信息。青少年在网络上接触到的视频、音频(yīn pín)、图片，大部分都是丰富多彩的商品、各种各样的美食、美不胜收(měi bú shèngshōu)的风景和光鲜亮丽(guāngxiānliàng lì)的生活。在求学阶段，没有接触真实社会的青少年容易产生错误的认识，觉得生活很轻松，外面的世界就像主题公园一样有趣。当这些青少年走出学校步入(bù rù)社会时，可能会发现现实生活并不是那么美好，需要辛勤(xīn qín)的劳动才能有所收获。青少年对现实生活毫无(háo wú)准备，可能会不知所措(bù zhī suǒ cuò)。家庭、学校和社会怎样才能让青少年了解真实的社会、真实的生活，让他们为将来做好准备呢？这个问题需要更多的思考。

A 写反义词

1) 消极 → ______

2) 麻烦 → ______

3) 全面 → ______

4) 正确 → ______

5) 无聊 → ______

6) 懒惰 → ______

B 选择

1) “碰头”的意思是_____。

a) 视频聊天　b) 见面

c) 在网络平台上交友

2) “不知所措”的意思是_____。

a) 不知道该怎么办　b) 做好了准备

c) 知道是什么意思

C 配对

☐ 1) 人们通过网络就可以把信息

☐ 2) 网络上的生活非常光鲜亮丽，

☐ 3) 网络给青少年带来了一些正面的影响，

a) 传给他人，不用见面也能沟通。

b) 一般在主题公园才有。

c) 在图书馆能查到需要的资料。

d) 但是现实生活并不是这样的。

e) 同时也带来了不少负面的影响。

D 判断正误

☐ 1) 同学们可以利用网络讨论课题、做作业。

☐ 2) 现在青少年还是习惯写信跟朋友联系。

☐ 3) 在求学阶段，青少年还没有接触真实的社会。

☐ 4) 网络上的一些视频和图片容易让青少年对社会有错误的认识。

☐ 5) 现实生活中美好的东西要通过努力才能获得。

E 回答问题

1) 接触太多网络上的内容，青少年可能对社会有什么错误的认识？

2) 习惯了网络上片面的信息，当青少年走进社会时可能会有什么感觉？

F 学习反思

1) 你认同文中的哪些观点？

2) 你为步入社会做了哪些准备？

G 学习要求

学会表达一种观点，掌握三个句子、五个词语。

9 根据实际情况回答问题

1) 你们学校是人手一台电脑吗？几年级的同学需要每天都带电脑上学？

2) 你需要用电脑做作业吗？哪些科目经常要用电脑做作业？

3) 你们上课时需要经常上网查资料吗？哪些科目上课时经常要用到电脑？

4) 课上，有没有同学不听老师的安排，自己随意上网？他们一般上网做什么？

5) 你们学校允许学生在校园内上社交网吗？你赞成这种做法吗？为什么？

6) 你的同学喜欢上哪个社交网站？你喜欢上哪个社交网站？

7) 你们在课间休息和午饭时间会上社交网吗？主要做什么？

8) 你认为上社交网浪费时间吗？为什么？

9) 除了社交网，你还会用什么方式联系朋友、同学？

10) 假设你现在需要马上跟一些同学联络，你会用哪种联络方式？

11) 你沉迷于网络游戏吗？你一般跟同学还是跟网友玩儿网络游戏？你每天玩儿多久？

12) 你的学业因为玩儿网络游戏、上社交网而受到影响了吗？你的成绩是否下降了？

10 成语谚语

A 成语配对

☐	1) 一针见血	a) 真正的才能和学识。
☐	2) 无奇不有	b) 形容美好的事物很多。
☐	3) 自暴(bào)自弃	c) 比喻说话直截了当(zhí jié liǎo dàng)，切中要害(qiè zhòng yào hài)。
☐	4) 真才实学	d) 各种奇怪(qí guài)的事物或现象都有。
☐	5) 琳琅满目(lín láng mǎn mù)	e) 自己甘于落后(gān yú luò hòu)或堕落(duò luò)。

B 中英谚语同步

1) 教学相长。 He who teaches, learns.

2) 严师出高徒(tú)。 A strict teacher produces outstanding students.

3) 十年树木，百年树人。 It takes three generations to make a gentleman.

11 文体

演讲稿格式

各位老师、各位同学：

□□大家好！我是……。今天我想谈谈关于……的观点。我的演讲题目是……

□□首先／第一，……………………………………………………………………

□□其次／第二，……………………………………………………………………

□□再次／第三，……………………………………………………………………

□□总之，为了……，我认为………………………………………………………

□□谢谢大家！

12 写作

题目 你将在学校集会上发表演讲。演讲的题目是“社交网弊大于利”。请写一篇演讲稿。

以下是一些人的观点：

- 社交网容易令人沉迷其中。很多人都在社交网上花费大量的时间。
- 社交网会分散学生的注意力，影响他们的学业。
- 社交网让人可以随时随地与朋友、亲人联络，十分方便。
- 社交网有多媒体互动功能，比以前的书信、电报、电话等联系方式有趣多了。

你可以用

a) 社交网的出现促进了人与人之间的沟通。

b) 人们可以通过社交网随时进行互动交流。

c) 社交网可能影响人们面对面的交流。

d) 很多人喜欢在社交网上秀旅游、玩乐的照片。青少年可能会相互攀比。

e) 有些同学上课时都忍不住想上社交网。

f) 青少年自律能力差，很容易沉迷于社交网，以致学习不专心，成绩下降。

g) 社交网上可能有色情、暴力等不良内容，会给青少年带来负面的影响。

年画、春联、挥春

过春节时，为了驱邪、求吉利、保平安，中国人会贴年画、春联或者挥春。

年画是中国汉族特有的一种绘画体裁，其主题大多是丰收、长寿、吉祥如意。年画的色彩鲜艳、喜庆，可以增添节日气氛。年画的形式多样，内容广泛，财神、观音、寿星、戏曲人物、民间传说、历史故事、花卉动物等应有尽有。

春联是对联的一种，上下联字数要相等，结构要相同，例如“冬去山明水秀，春来鸟语花香”。人们通过春联来描绘时代背景，表达美好的愿望和喜迎新春佳节的心情。春节前，家家户户都在大门两边贴春联。饭店、美发厅、宾馆等一些商家也会贴春联。

挥春是另一种新春的传统装饰物。挥春和春联最大的区别是：春联是成对的对联，要讲究对偶；而挥春可能是一两个字或是四字词语，方便张贴。挥春以吉利、进取的内容为主，有的挥春还跟当年的生肖有关。“福”“吉利”“龙马精神”“学业进步”“万事如意”等都是常见的挥春。

A 判断正误

- ☐ 1) 年画的主题一般是丰收、长寿、吉祥如意等。
- ☐ 2) 挥春是对联的一种，上下联的字数是一样的。
- ☐ 3)“龙马精神”和“万事如意”是典型的春联。
- ☐ 4) 春联一般是成对的，比如“春风春雨春色，新年新岁新景”。
- ☐ 5) 春联一般贴在门的两边。
- ☐ 6) 挥春可能只有一个字或者两个字，比如“福”或“吉利”。

B 判断正误，并说明理由

	对	错
1) 年画给春节增添了热闹、喜庆的气氛。 ________________	____	____
2) 年画的内容多种多样，有财神、寿星、动物等。 ________________	____	____
3)“冬去山明水秀，春来鸟语花香”是一副春联。 ________________	____	____
4) 通过贴春联，人们可以表达迎接新春的喜悦心情和对美好未来的向往。 ________________	____	____

C 回答问题

1) 中国人过春节时用什么方式来驱邪、求吉利、保平安？

2) 挥春和春联有什么区别？

D 学习反思

1) 你家庆祝春节吗？你买过年画、春联、挥春吗？你把它们贴在了哪里？
2) 中国人过春节有张贴年画、春联、挥春的习俗。其他国家或民族有类似的习俗吗？请介绍一下。

E 学习要求

学会表达一种观点，掌握三个句子、五个词语。

电子书包

生词

❶ 如今 (rú jīn) nowadays ❷ 日常 (rì cháng) daily

❸ 必需品 (bì xū pǐn) necessities

❹ 电子 (diàn zǐ) electron

❺ 泛 (fàn) extensive 广泛 (guǎng fàn) wide; extensive

❻ 革 (gé) change 革命 (gé mìng) revolution

电子书包被广泛使用，给教学和学习都带来了一次革命。

❼ 实际上 (shí jì shang) actually

❽ 板 (bǎn) board; plank 平板 (píng bǎn) flat

电子书包实际上是平板电脑。

❾ 装 (zhuāng) install

❿ 册（冊）(cè) pamphlet 练习册 (liàn xí cè) workbook

⓫ 参考 (cān kǎo) refer to 参考书 (cān kǎo shū) reference book

⓬ 材 (cái) material 材料 (cái liào) material

电子书包里面装有学生的课本、练习册等学习所需的材料。

> Grammar: “所” can be used before a verb to form a noun phrase.

⓭ 龄（齡）(líng) age 年龄 (nián líng) age

电子书包适合各年龄阶段的学生使用。

⓮ 点 (diǎn) a measure word (used for item, point)

使用电子书包有以下几点好处。

⓯ 提升 (tí shēng) promote

使用电子书包可以提升学生的学习兴趣。

⓰ 自觉 (zì jué) conscious ⓱ 制 (zhì) work out

⓲ 订 (dìng) work out 制订 (zhì dìng) work out

学生将更自觉地制订学习计划。

⓳ 扩展 (kuò zhǎn) expand

学生可以随时上网扩展学习。

⓴ 笔记 (bǐ jì) notes

㉑ 给 (jǐ) provide ㉒ 予 (yǔ) give 给予 (jǐ yǔ) give; offer

㉓ 指 (zhǐ) give directions 指导 (zhǐ dǎo) guide; direct

㉔ 估 (gū) estimate 评估 (píng gū) evaluate

老师可以随时给予帮助、指导和评估。

㉕ 氛 (fēn) atmosphere 气氛 (qì fēn) atmosphere

㉖ 采 (cǎi) select; pick 采用 (cǎi yòng) adopt

㉗ 多样 (duō yàng) diverse ㉘ 灵（靈）(líng) nimble 灵活 (líng huó) flexible

㉙ 网络 (wǎng luò) network

㉚ 频（頻）(pín) frequency 音频 (yīn pín) audio

视频 (shì pín) video

㉛ 辅（輔）(fǔ) assist 辅助 (fǔ zhù) assist 辅导 (fǔ dǎo) coach

㉜ 个别 (gè bié) individual ㉝ 专门 (zhuānmén) special

老师上课时可以为个别学生提供专门辅导。

㉞ 订购 (dìnggòu) order ㉟ 优惠 (yōu huì) favourable

订购平板电脑可以享受七折优惠。赶快行动起来吧！

> Grammar: a) Pattern: Verb + 起来
> b) This pattern is used to indicate the start of an action.

1 完成句子

1) 如今，电脑早已成为学生日常生活和学习的必需品了。

如今，_____。

2) 电子书包被广泛使用，给教学和学习都带来了一次革命。

_____ 给 _____ 带来 _____。

3) 电子书包实际上是平板电脑。

_____ 实际上 _____。

4) 电子书包适合各年龄阶段的学生使用。

_____ 适合 _____。

5) 使用电子书包，学生将更自觉地制订学习计划。

_____ 将 _____。

6) 老师上课时可以为个别学生提供专门辅导。

_____ 为 _____ 提供 _____。

2 听课文录音，做练习

A 回答问题

1) 电子书包对教学的影响大吗？

2) 电子书包里有什么？

3) 什么时候订购平板电脑可以打折？可以打几折？

B 选择（答案不只一个）

1) 电子书包 _____。

a) 被很多学校使用
b) 就是平板电脑
c) 里装有课本、阅读材料、化学实验用品等
d) 只适合低年级的同学使用
e) 不受老师的欢迎

2) 电子书包对教和学的好处有 _____。

a) 学生会对学习更感兴趣
b) 学生要忙着做笔记
c) 学生可以随时跟同学和老师互动
d) 学生做作业时，老师可以随时给予指导
e) 上课时，老师可以给个别学生一对一辅导

课文 

电子书包

如今，电脑早已成为学生日常生活和学习的必需品了。在学校，电子书包被广泛使用，给教学和学习都带来了一次革命。什么是电子书包呢？电子书包实际上是平板电脑，里面装有学生的课本、练习册、参考书等学习所需的材料。电子书包适合各年龄阶段的学生使用。使用电子书包有以下几点好处：

- 使用电子书包可以提升学生的学习兴趣。
- 学生可以使用适合自己的方法学习。
- 学生将更自觉地制订学习计划。
- 学生可以随时上网扩展学习。
- 学生上课时不用再忙着做笔记了。
- 学生可以随时跟同学和老师互动。
- 学生在线上做作业，老师可以随时给予帮助、指导和评估。
- 上课的气氛会更活泼。
- 老师所采用的教学方法可以更多样、灵活。
- 老师可以使用网络上丰富的音频、视频、文字资料辅助教学。
- 老师上课时可以为个别学生提供专门辅导。

8 月 30 日之前来学校文具店订购平板电脑可以享受七折优惠。赶快行动起来吧！

新美电器店

联系电话：25484625

3 用所给结构及词语写句子

1) 电子书包被广泛使用，给教学和学习都带来了一次革命。 → 被　方便
2) 学生上课时不用再忙着做笔记了。 → 不用　担心
3) 学生在线上做作业，老师可以随时给予帮助、指导和评估。 → 随时　上网
4) 老师所采用的教学方法可以更多样、灵活。 → 所　更
5) 赶快行动起来吧！ → 起来　笑

4 角色扮演

情景 你的平板电脑用了两年了。你想让妈妈给你换一台新的平板电脑。

例子：

你：从新学年开始，我们每天都要带平板电脑上学。我的平板电脑很旧了，能不能给我买台新的？

妈妈：你的平板电脑还可以用。为什么要买新的？

你：最新出的平板电脑速度更快，还更轻了。

妈妈：这些都不是买新电脑的理由。你要体谅父母挣钱的辛苦，要学会节省。

你：求求您给我买一台新的吧！我的平板电脑不好看，新款的外型也更好看了！

妈妈：平板电脑只要能用就行了。好看不好看有什么关系呢？

你：如果同学的平板电脑都是新款的，只有我的是旧款的，我会觉得很不舒服。

……

你可以用

a) 我们很多科目上课和写作业都要用到平板电脑，比如历史、地理、英文等。

b) 我的旧电脑速度太慢了，每次查资料都要等半天，很浪费时间。新款的平板电脑速度快得多，用起来很方便。

c) 你的零用钱可以用来买更有用的东西。如果再买一台平板电脑，又浪费钱又不环保。

d) 新的平板电脑就算是给我的生日礼物，行吗？

5 小组讨论

要求 从下学年开始，每个学生都要带平板电脑上学。小组讨论平板电脑是否适合在中学教学中使用。

例子：

同学 1：从明年开始，我们学校会变成“电子书包学校”。老师会把上课所需的课本、练习册、教学参考书等学习材料都装在平板电脑里。学生只要带平板电脑就可以了，不用带书本上学了。

同学 2：这个变化也太大了。我知道电脑早已成为人们日常生活和学习的必需品了，但是平板电脑能代替课本、练习册、参考书吗？

同学 3：我也有些担心。我还想知道老师上课时会怎样使用平板电脑。

同学 1：老师会一边教课一边用平板电脑展示教学内容吧？我们还可以随时跟老师互动。

同学 3：这样不错。我们的笔记也不用写在本子上了，可以直接用平板电脑做笔记。

同学 1：对。如果需要查资料，我们可以马上用平板电脑上网，进行扩展学习。这样不仅方便，还能让同学们对学习更感兴趣。

同学 2：如果有的同学上其他网站或者玩儿网络游戏，怎么办呢？老师管得住几十个学生吗？

同学 3：这是个问题。同学们要有自律的能力才可以。

……

你可以用

a) 学生将更自觉地制订自己的学习计划。

b) 用平板电脑，学生能使用更适合自己的学习方法来学习。

c) 学生在线上做作业，老师能随时给予帮助、指导和评估。

d) 上课的气氛会更轻松、活泼。

e) 老师能采用多样、灵活的教学方式上课。

f) 老师可以使用网络上丰富的音频、视频、文字资料辅助教学。

g) 如果个别学生没有听懂老师讲的内容，老师可以为他们提供专门辅导。

h) 如果课上用平板电脑，有些学生可能会忍不住玩儿电脑游戏，或者跟同学在网上聊天儿。

i) 有些学生还可能趁机上社交网。

6 阅读理解

电脑辅助教学

电脑在教学中的运用已经相当普遍了。电脑辅助教学，一方面让老师足不出户就可以给学生指导、帮助和评估，另一方面让学生可以自主、自助进行各种学习活动。

电脑辅助教学有以下一些功能：

第一，可以编排(biān pái)练习。学生做完练习后，电脑会自动给出答案(dá àn)、评估。

第二，可以回答学生的问题，给学生个别指导。

第三，可以因材施教(yīn cái shī jiào)。对不同水平的学生开展不同的教学，得到更好的教学效果。

第四，可以跟学生进行大量的交流和互动。

第五，可以激发(jī fā)并维持(wéi chí)学生的学习兴趣，改善(gǎi shàn)学生的学习态度。

第六，可以给学生即时反馈(jí shí fǎn kuì)，甚至多样化的反馈。

第七，可以培养学生主动学习的习惯。

第八，可以让学生学会与其他人分享学习成果。

第九，可以模拟(mó nǐ)真实的场景，比如模拟飞行、驾驶(jià shǐ)车辆等，让学生在近乎(jìn hū)真实的环境中学习、练习。

A 选择

1) “足不出户”的意思是 ____。

a) 外出采访　　b) 走出家门

c) 不出家门

2) “因材施教”的意思是 ____。

a) 学校根据学生的能力来分班

b) 学生根据学校的课程来选课

c) 根据学生的能力、兴趣等情况来教学

B 选择（答案不只一个）

电脑辅助教学 ____。

a) 会让学生更依赖老师

b) 对成绩差的学生没有帮助

c) 能给学生提供专门辅导

d) 能让学生对学习更感兴趣

e) 会让学生更主动地学习

C 回答问题

电脑辅助教学是如何让学生在近乎真实的环境中学习的？请举例说明。

7 阅读理解

一天没有手机的感受

今天我起晚了，_____① 上早饭就往外冲(chōng)。上了校车后才发现口袋空空的。我竟然(jìng rán) _____② 带手机了。

往常我坐校车时会一直拿着手机，一边刷微信一边 _____③ 音乐。今天手机不在身边，我感觉有些不安。在校车上，我看到几乎每个人都是同一个姿势(zī shì)——低着头玩儿手机。向窗外看去，上班族 _____④ 着上班，小孩子匆匆(cōngcōng)地赶去学校，老人在街边公园里悠闲(yōu xián)地 _____⑤ 着运动。我突然(tū rán)觉得有机会观察(guān chá)周围发生的一切也挺好的。

到了学校，班主任 _____⑥ 进了教室。除了我以外，没有人注意到她的到来。因为男生都忙着 _____⑦ 电脑游戏，女生都忙着 _____⑧ 电邮、上社交网或低着头听音乐。我第一次抬头细 _____⑨ 我的班主任：她今天 _____⑩ 了一条绿色的连衣裙和一件浅蓝色的外套，脸上带着微笑。我突然记起不久前经历的一次不愉快的事情，是班主任老师给了我无微不至(wú wēi bú zhì)的关怀(guānhuái)。我对她深表感谢。

今天的经历让我感到：虽然手机功能多、用途广，给生活带来了不少方便，但是也使我们的生活失去了很多乐趣。如果今天带了手机，我就不会留意到周围的人和事了。那多么可惜(kě xī)啊！

A 填动词

1) ______　　6) ______

2) ______　　7) ______

3) ______　　8) ______

4) ______　　9) ______

5) ______　　10) ______

B 选择

1)“我”上学时 ____。
- a) 一般都带手机
- b) 不能带手机
- c) 每天都带手机

2) 如果今天带手机了，“我” ____。
- a) 会注意到窗外的景色
- b) 会看到马路上形形色色的人
- c) 在校车里一定会玩儿手机

C 配对

☐ 1)“我”往常坐在校车里
☐ 2) 坐在校车里的同学们
☐ 3) 清晨的路上，
☐ 4) 在街心公园里，老人
☐ 5) 今天“我”坐车时

a) 一边关心周围发生的事。
b) 有机会观察马路上的行人。
c) 总是听着音乐刷微信，不会留意周围发生的事。
d) 每个人的动作和姿势都一样。
e) 有的人急着去上班，有的人赶着去学校。
f) 都不自觉地拿着手机认真地学习。
g) 十分悠闲地在做运动。

D 判断正误

☐ 1) 教室里没有一个学生注意到班主任走进来了。
☐ 2) 班里的女生很喜欢玩儿电子游戏。
☐ 3) 班里只有“我”一个人注意到了班主任今天的穿着。
☐ 4)“我”的班主任是一位和蔼可亲、关心学生的老师。
☐ 5) 手里没有手机，“我”有时间去观察周围发生的事情。

E 回答问题

同学们喜欢用手机做什么？

F 学习反思

1) 为什么手机使人们的生活失去了很多乐趣？

2) 如果今天没带手机，你会有什么不同的体验？这会给你带来哪些思考和启示？

G 学习要求

学会表达一种观点，掌握三个句子、五个词语。

网络游戏的利弊（lì bì）

红：大家好！我是电台主持（zhǔ chí）人红云。如今，很多青少年都喜欢玩儿网络游戏。对此现象，人们持不同的看法。今天我们请来了网游专家王先生讲一讲玩儿网游的利弊。王先生，您好！很多人都爱玩儿网络游戏。玩儿网络游戏有哪些好处呢？

王：玩儿网游的好处有：一、玩家可以从游戏中学到一些知识。二、一些游戏，特别是益智（yì zhì）游戏，可以促进玩家思维能力的发展。三、与朋友玩儿游戏可以促进沟通、加深友谊。四、玩家可以在舒缓（shū huǎn）压力的同时得到快乐和满足。

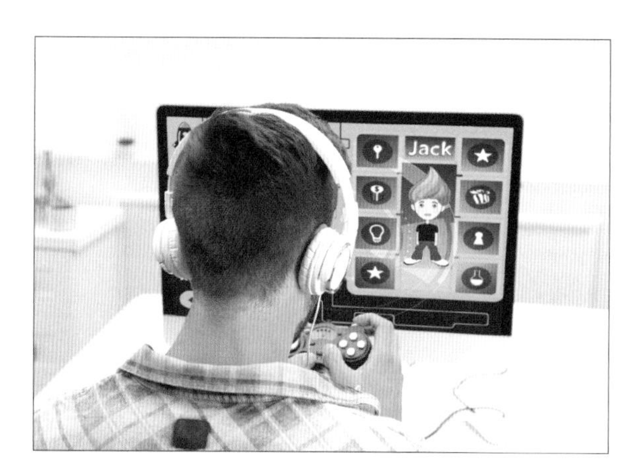

红：玩儿网络游戏的好处还不少呢！那坏处有哪些呢？

王：一是玩儿网游容易使人上瘾，十分浪费时间，还可能会荒废（huāng fèi）学业。二是如果沉迷于网游会疏远（shū yuǎn）家人和朋友。三是长时间对着电脑屏幕（píng mù）会使视力受影响。四是总玩儿游戏缺乏运动对健康不利。五是有些网游的内容不适合青少年，可能对他们造成不良的影响。

红：看来玩儿网络游戏有利有弊。那请您给听众朋友们一些关于玩儿网游的忠告（zhōng gào）吧！

王：建议大家在玩儿网游前给自己设定（shè dìng）玩儿游戏的时间，到时间就停手。除了利用网游减压，还建议大家多培养其他有助于减压的兴趣爱好，如运动、音乐、艺术等。

红：谢谢您，王先生！

王：不客气！

A 写反义词

1) 弊 → ______

2) 浅 → ______

3) 好 → ______

4) 近 → ______

5) 短 → ______

6) 增 → ______

B 配对

☐ 1) 对于玩儿网络游戏，
☐ 2) 在玩儿游戏的过程中，
☐ 3) 一些益智游戏
☐ 4) 跟朋友一起玩儿游戏
☐ 5) 玩儿游戏不仅能减压，

a) 想什么时候玩儿就什么时候玩儿。
b) 人们持不同的看法。
c) 可以加深友谊。
d) 还能给玩家带来快乐和满足。
e) 玩家可以学到一些知识。
f) 有助于提高思维能力。
g) 让很多人沉迷其中。

C 判断正误

☐ 1) 如果青少年沉迷于网络游戏，会花费很多时间，影响考试成绩。
☐ 2) 如果玩儿网游上瘾，会远离亲人和朋友，对青少年的成长不利。
☐ 3) 由于玩儿网游要一直盯着电脑屏幕，青少年的视力都非常好。
☐ 4) 总是玩儿网游没有时间做运动，因此一些青少年的身体非常不好。

D 判断正误，并说明理由

	对	错
1) 如果青少年花在网络游戏上的时间太多，他们的学习会受到影响。		
______________________________	____	____
2) 网游中有些不健康的内容，会给青少年带来负面影响。		
______________________________	____	____

E 回答问题

青少年玩儿网游时要注意什么？

F 学习反思

你同意文中的哪些观点？你觉得青少年应该怎样避免玩儿网游上瘾？

G 学习要求

学会表达一种观点，掌握三个句子、五个词语。

9 根据实际情况回答问题

1) 你赞同“电脑、网络可以提升学习兴趣”的观点吗？为什么？

2) 你们学校的学生用电子书包吗？你每天都带课本上学吗？哪些科目要用课本？

3) 你个人更喜欢用电子书包还是用课本？为什么？

4) 用课本有哪些好处？有哪些不便？

5) 你认为哪些年级的同学更适合用平板电脑上课？为什么？

6) 你们学校是否在使用谷歌教室这类的教学辅助软件？你喜欢吗？为什么？

7) 你觉得哪些科目适合多用电脑辅助教学？为什么？

8) 哪些科目经常使用网络上的视频或音频辅助教学？你们的学习效果怎么样？

9) 哪些老师经常通过网络给予你们指导和评估？

10) 你更喜欢听老师讲解教学内容还是自己找答案？为什么？

11) 电脑是怎样辅助你学习汉语的？

10 成语谚语

A 成语配对

☐	1) 书香门第	a) 形容进步和发展特别迅速。
☐	2) 破釜沉舟 (pò fǔ chénzhōu)	b) 形容关系密切 (mì qiè)，无时无处不在一起。
☐	3) 火树银花	c) 形容节日或有喜庆事情时的夜景。
☐	4) 形影不离	d) 比喻下决心不顾一切地干到底。
☐	5) 突飞猛进 (tū fēi měng jìn)	e) 世代读书的人家，指好的家庭背景。

B 中英谚语同步

1) 满招损 (mǎnzhāo sǔn)，谦受益 (qiānshòu yì)。 Pride hurts, modesty benefits.

2) 虚心使人进步，骄傲使人落后。 Modesty helps one go forward, whereas conceit makes one lag behind.

3) 良药苦口利于病，忠言逆 (nì) 耳利于行。 Good medicine for health tastes bitter to the mouth.

11 文体

广告格式

标题（一般用产品的名字作标题）

- 分段介绍／列出产品的特点、性能。
- 最后要写明推出广告的组织／机构的名称及联络方式等以便读者查询。

12 写作

题目 有科学家预测在不久的将来，线上课堂会代替实体课堂。请写一个广告，推广线上课堂。

以下是一些人的观点：

- 线上课堂将提升学生对学习的兴趣。
- 学生不用从家里赶到学校，可以节省不少花在路上的时间。
- 每个学生都有机会听最优秀的老师讲课，受到更好的教育。

你可以用

a) 线上课堂将给教学带来一场革命。

b) 学生在线上听课、做作业、测试，既方便又环保。

c) 在规定的时间里，老师可以随时给予同学指导、帮助和评估。

d) 线上课堂的教学方法可以更多样、更灵活，而且可以因材施教。

e) 学生可以通过音频、视频、文字资料学到更多的知识。

f) 学生可以用节省（jié shěng）下来的上学、放学路上的时间来扩展学习。

g) 老师可以为个别同学提供专门辅导。

h) 台风、暴雨、大风雪等恶劣（è liè）天气不会影响学生正常的学习。

中国画

中国画简称国画。国画是中国传统的绘画形式，有两千多年的历史。国画是用毛笔蘸(zhàn)水、墨、颜料(yán liào)，在宣纸(xuān zhǐ)、绢(juàn)或帛(bó)上画的。画好的国画一般装裱(zhuāng biǎo)成卷轴(juànzhóu)画。有些国画会做成扇子、屏风(píngfēng)或装裱在镜框(jìng kuàng)里。

国画的题材(tí cái)分人物、山水、花鸟三大类，其中人物画出现较早。人物画主要表现人类社会和人与人之间的关系。常见的人物

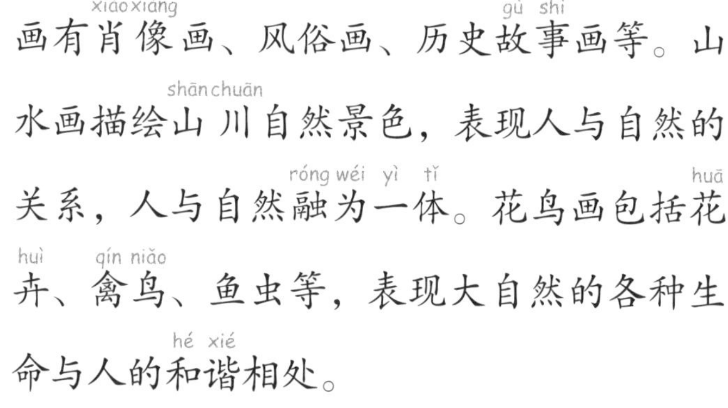

画有肖像(xiào xiàng)画、风俗画、历史故事(gù shi)画等。山水画描绘山川(shān chuān)自然景色，表现人与自然的关系，人与自然融为一体(róng wéi yì tǐ)。花鸟画包括花卉(huā huì)、禽鸟(qín niǎo)、鱼虫等，表现大自然的各种生命与人的和谐(hé xié)相处。

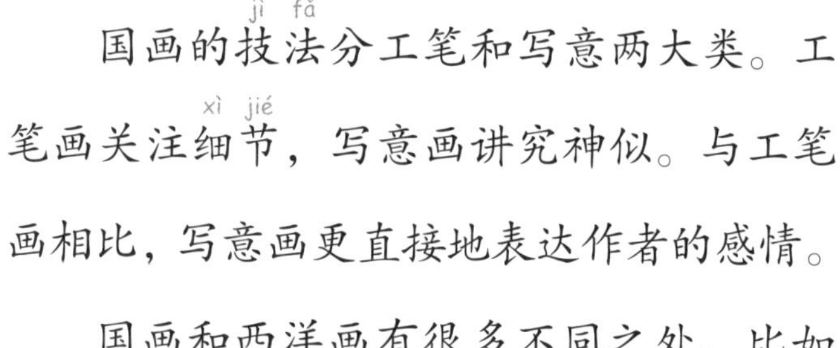

国画的技法(jì fǎ)分工笔和写意两大类。工笔画关注细节(xì jié)，写意画讲究神似。与工笔画相比，写意画更直接地表达作者的感情。

国画和西洋画有很多不同之处。比如国画讲究意境(yì jìng)，西洋画讲究写实(xiě shí)，也就是说与国画相比，西洋画更像实物(shí wù)。国画的内容多以自然为主，西洋画多以人物为主。国画不太注重背景，而西洋画很注重背景。画国画用毛笔或软笔(ruǎn bǐ)，画西洋画用硬笔(yìng bǐ)。

A 配对

□ 1) 国画中的人物画	a) 花卉、禽鸟、鱼虫等。
□ 2) 山水画描绘大自然的风景，	b) 而西洋画中的背景很重要。
□ 3) 花鸟画主要画	c) 简称国画，有两千年的历史。
□ 4) 工笔画强调细节，而写意画	d) 表现人与自然的关系。
□ 5) 国画不太注重背景，	e) 表现人与人之间的关系。
	f) 讲究神似，更直接地表达感情。
	g) 用毛笔或者软笔画。

B 判断正误，并说明理由

	对	错
1) 国画画在宣纸、绢或者帛上。		
______	___	___
2) 国画只能画在扇面上，或者裱在镜框里挂起来。		
______	___	___
3) 国画强调意境，而西洋画强调写实。		
______	___	___
4) 国画和西洋画的内容都以自然为主。		
______	___	___

C 回答问题

1) 国画的题材主要有哪几类？

2) 人物画一般画什么？

3) 国画的技法可以分为哪几类？

D 学习反思

1) 你看过国画吗？你对国画的第一印象是什么？

2) 在网上找一幅国画，想想短文中的内容有没有道理？

E 学习要求

学会表达一种观点，掌握三个句子、五个词语。

第三单元复习

生词

第七课

动画片	功夫	公映	观众	故事	讲述
斗士	经营	父亲	继承	生意	侠
谷	误打误撞	笨拙	胆小	武功	武林
高手	看不起	放弃	最终	打败	豹
美感	享受	启示	画面	活龙活现	幽默
联系	碰	逃避	失去	信心	勇气
面对	克服				

第八课

封锁	演讲	题目	辩论	议题	顾名思义
网友	互动	平台	相关	相对	枯燥
分散	注意力	刺激	上瘾	忍	专心
听讲	以致	下降	争辩	进行	进度
完成	专题	研究	然而	众所周知	途径
干扰	禁止				

第九课

如今	日常	必需品	电子	广泛	革命
实际上	平板	装	练习册	参考书	材料
年龄	点	提升	自觉	制订	扩展
笔记	给予	指导	评估	气氛	采用
多样	灵活	网络	音频	视频	辅助
辅导	个别	专门	订购	优惠	

短语 / 句型

• 动画片《功夫熊猫》一公映就受到了世界各地观众的喜爱
• 故事讲述了熊猫阿宝成为龙斗士的经历 • 经营面馆的父亲 • 继承家里的生意
• 梦想成为功夫大侠 • 阿宝误打误撞被选上了 • 经常被其他武林高手看不起
• 经过勤学苦练 • 练就了一身好武功 • 最终打败了雪豹太郎
• 电影不仅给我带来了快乐，还让我得到了美感享受和人生启示
• 动画片的画面非常美 • 角色活龙活现 • 既可爱又幽默 • 电影给了我很大的启示
• 我认识到遇到困难时不能放弃 • 联系到我自己 • 在学习、生活中碰到困难时
• 从今以后 • 鼓起勇气面对问题 • 想办法克服困难

• 关于校内是否该封锁社交网，我想发表一下看法
• 对于这个议题，有的人支持，有的人反对 • 社交网是为网友提供的互动交流平台
• 人们可以随时登录社交网 • 浏览与朋友相关的内容 • 与相对枯燥的学习相比
• 浏览社交网更有吸引力 • 一些同学沉迷其中 • 容易分散同学们的注意力
• 一些同学玩儿游戏上瘾 • 甚至课上都忍不住想玩儿
• 很多同学上课不能专心听讲，以致学习成绩下降 • 社交网可以方便同学进行沟通
• 了解功课进度 • 完成学习小组的专题研究
• 同学们使用其他途径也可以方便地沟通 • 让同学们在学校专心学习、不受干扰

• 电脑早已成为学生日常生活和学习的必需品了 • 电子书包被广泛使用
• 电子书包给教学和学习都带来了一次革命 • 电子书包实际上是平板电脑
• 电子书包里面装有学生的课本、练习册、参考书等学习所需的材料
• 适合各年龄阶段的学生使用 • 提升学生的学习兴趣
• 自觉地制订学习计划 • 随时上网扩展学习 • 上课时不用再忙着做笔记了
• 随时跟同学和老师互动 • 在线上做作业 • 老师可以随时给予帮助、指导和评估
• 上课的气氛会更活泼 • 老师所采用的教学方法可以更多样、灵活
• 老师上课时可以为个别学生提供专门辅导 • 享受七折优惠 • 赶快行动起来吧

城市与郊区

生词

❶ 位 wèi place
单位 dān wèi unit (as an organization, department, division, section, etc.)

❷ 郊区 jiāo qū suburbs

❸ 愁 chóu worry 发愁 fā chóu worry

❹ 劣 liè bad

❺ 势（勢）shì situation
劣势 liè shì unfavourable or disadvantageous situation

❻ 空气 kōng qì air

❼ 不如 bù rú not so good as ❽ 清新 qīng xīn fresh

❾ 居 jū reside 居住 jū zhù reside

❿ 嘈 cáo noise 嘈杂 cáo zá noisy

生活在城市是有一些劣势，比如城市的空气不如郊区的清新，居住空间比较小，环境比较嘈杂。

▲ **Grammar: Sentence Pattern: $Noun_1$ + 不如 + $Noun_2$ + Adjective**

⓫ 优势 yōu shì advantage

⓬ 远 yuǎn (of a difference) far

⓭ 于 yú than ⓮ 弊 bì disadvantage

居住在城市的优势远远多于劣势，利大于弊。

⓯ 构（構）gòu construct 机构 jī gòu institution

⓰ 保健 bǎo jiàn health care

⓱ 配套 pèi tào form a complete set

⓲ 剧院 jù yuàn theatre

⓳ 博 bó abundant 博物馆 bó wù guǎn museum

⓴ 像 xiàng such as

城市里有齐全的配套公共设施，像图书馆、剧院、博物馆等。

㉑ 闲（閒）xián leisure 休闲 xiū xián be at leisure

㉒ 公立 gōng lì public

㉓ 私 sī private 私立 sī lì privately run

㉔ 型 xíng type 大型 dà xíng large-scale

㉕ 优良 yōu liáng good

㉖ 疗（療）liáo treat 医疗 yī liáo medical treatment

㉗ 设备 shè bèi equipment ㉘ 医术 yī shù medical skill

㉙ 高明 gāo míng brilliant; superb

医院里有优良的医疗设备和医术高明的医生。

㉚ 优越 yōu yuè superior

㉛ 转学 zhuǎn xué transfer to another school

㉜ 意味 yì wèi implication 意味着 yì wèi zhe imply

搬到郊区意味着我得转学。

㉝ 害 hài feel 害怕 hài pà be afraid

㉞ 假 jiǎ if; in case 假如 jiǎ rú if; in case

㉟ 权（權）quán power

假如我有决定权，一定不搬家。

1 完成句子

1) 我认为居住在城市利大于弊。

_____ 利大于弊。

2) 居住在城市的优势远远多于劣势。

_____ 远远 _____。

3) 城市里有齐全的配套公共设施，像图书馆、剧院、博物馆等。

_____，像 _____。

4) 不难看出，城市的生活条件比郊区的优越得多。

不难看出，_____。

5) 另外，我非常害怕转学。

另外，_____。

6) 搬到郊区意味着我得转学。

_____ 意味着 _____。

2 听课文录音，做练习

A 回答问题

1) 他为什么不得不转学？

2) 他为什么害怕转学？

3) 假如有权决定是否搬家，他的决定会是什么？

B 选择（答案不只一个）

1) 生活在城市的劣势是 _____。

a) 城市的空气比较清新

b) 城市的居住空间比较小

c) 城市的环境比较嘈杂

d) 城市的私立学校比较少

e) 城市太大，去哪里都不方便

2) 生活在城市的优势是 _____。

a) 城市里有更多公共设施，比如图书馆、剧院、博物馆等

b) 城市里公立学校比私立学校多

c) 城市里的孩子有机会受到更好的教育

d) 城市里的交通条件比较好

e) 城市里有比较好的大型医院

课文

2016年6月12日　星期日　　　　　　　　　　　　　　　　　　　　　多云

上个月，爸爸和妈妈找到了新的工作。父母新的工作单位(dān wèi)都在郊区(jiāo qū)，因此他们打算全家搬到郊区去住。这让我很发愁(fā chóu)。

我不想搬去郊区。生活在城市是有一些劣势(liè shì)，比如城市的空气(kōng qì)不如(bù rú)郊区的清新(qīng xīn)，居住(jū zhù)空间比较小，环境比较嘈杂(cáo zá)。但是我认为居住在城市的优势(yōu shì)远(yuǎn)远多于劣势，利大于弊(yú bì)。城市的公共设施、教育机构(jī gòu)、交通条件、卫生保健(bǎo jiàn)设施等都比郊区的好得多。城市里有齐全的配套(pèi tào)公共设施，像(xiàng)图书馆、剧院(jù yuàn)、博物馆(bó wù guǎn)等。我可以经常去剧院、博物馆开阔眼界，享受休闲(xiū xián)生活。城市里有各种公立(gōng lì)、私立(sī lì)学校和补习机构。我可以受到更好的教育。城市里的交通四通八达，去哪里都十分方便。城市里还有很多大型(dà xíng)医院。医院里有优良(yōu liáng)的医疗设(yī liáo shè bèi)备和医术高明(yī shù gāo míng)的医生。

不难看出，城市的生活条件比郊区的优越(yōu yuè)得多。另外，搬到郊区意味着(yì wèi zhe)我得转学(zhuǎn xué)。我担心可能交不到新朋友，或者不能适应新学校的课程，所以非常害怕(hài pà)转学。假如(jiǎ rú)我有决定权(quán)，一定不搬家。

3 用所给结构及词语写句子

1) 生活在城市是有一些劣势，比如城市的空气不如郊区的清新。 → 不如　方便
2) 城市的公共设施、教育机构、交通条件、卫生保健设施等都比郊区的好得多。 → 得多　条件
3) 城市里的交通四通八达，去哪里都十分方便。 → 哪里都　麻烦
4) 假如我有决定权，一定不搬家。 → 假如　名牌

4 小组讨论

要求　小组讨论家的周围有哪些公共设施，以及希望新建什么公共设施。

例子：

同学 1：我家以前住在城里，现在搬到了郊区。住在郊区不太方便，买什么东西都得开车出去。我真希望附近建一个购物广场。我们买东西会方便得多。

同学 2：我家附近的公共设施不多。我希望我家附近能建一所高中，这样我就不用坐校车上学了。我还希望我家附近建一个体育馆。体育馆里要有标准的室内游泳池。这样我就可以一年四季都去游泳了。

同学 3：因为我奶奶身体不太好，所以我希望我家附近建一所大型医院。医院里要有优良的医疗设备和医术高明的医生。

……

你可以用

a) 我希望小区里能建一个会所。会所里要有室外游泳池、室内游泳池、健身房、多功能活动室等等。

b) 我希望我家附近建一个菜市场，里面卖各种蔬菜、水果，以及海鲜、肉类等。

c) 我家住在海边。我希望可以沿着海边建一个跑道。每天吃完晚饭后，我们可以出去跑步。

d) 我家住在开发区。我希望在不久的将来附近可以建体育馆、图书馆、商场等配套设施。我还希望能建一个公园。我们一家人就可以经常去散步、打球了。

5 辩论

要求 与同学辩论住在城市好还是住在郊区好。正方的观点是住在城市好，反方的观点是住在郊区好。

例子：

正方： 我认为住在城市里有很多优势。城市里有各种休闲设施，像游乐场、电影院、剧院等。人们可以有丰富的娱乐生活。

反方： 虽然郊区的休闲设施没有城市那么多，但是郊区的空气比城市的清新。

正方： 城市的空气确实不够好，那是因为城市里车多，交通非常方便。住在城市，公共交通四通八达，可以坐公共汽车、地铁、电车或出租车。住在郊区，公交车的选择不多，班次的间隔时间也比较长，去哪里都不方便。

反方： 现在很多家庭都有自己的汽车，所以并不会不方便。我认为住在郊区可以有更大的居住空间，人的心情也会更好一些。

正方： 虽然城市里的住房比郊区的小，但是一家人住也够了。住在城里，学生上学有更多选择。城市里有各种公立、私立学校。学校的师资也比较好。

反方： 现在很多有名的大学都搬到了郊区。这些大学中很多都有附属的中学和小学，所以教育不是问题。

……

你可以用

a) 住在郊区比较清静，活动空间也大得多。

b) 城市里的医疗保健设施比较好，有大型医院，还有私人诊所。老人、小孩看病比较方便。

c) 现在郊区的娱乐设施和城市的一样，应有尽有。

d) 城里的学校比郊区的多，而且学校就在附近。孩子上学比较方便。

e) 城里到处都有商店和饭馆。买东西、吃东西都很方便。

f) 如果住在郊区，周围一般没有菜市场。妈妈得周末买很多菜放在冰箱里，吃一个星期。如果住在市区，附近就有菜市场，可以吃新鲜的蔬菜和水果。

6 阅读理解

重庆

重庆有三千多年的历史，1997年成为了直辖市。虽然重庆是中国四个直辖市里最年轻的一个，但 ____ ① 是面积最大、人口最多的。其面积是北京、天津、上海总面积的2.39倍，常住人口超过三千万。

重庆位于中国的西南部。重庆以丘陵和山地为主， ____ ② 又名“山城”。重庆的另一个特色是除了汉族以外，还居住着55个少数民族， ____ ③ 土家族和苗族的人口最多。

重庆气候温和，湿度比较大，全年平均气温在18度左右。 ____ ④ 受地形和气候的影响，重庆常年多雾，又有“雾都”之称。

重庆的交通发达，除了铁路、公路、航空以外，由于其地理位置特殊——位于长江的上游地区，重庆的水路交通也非常发达。

重庆的旅游资源十分丰富。到重庆旅游可欣赏山、水、林、泉、瀑布、峡谷及石洞。在众多景点中，长江三峡最为著名。重庆的美食众多，有重庆火锅、麻辣烫、水煮牛肉、担担面等。

A 选词填空

因此　由于　却
其中　甚至　即使

1) ______　2) ______
3) ______　4) ______

B 判断正误

☐ 1) 重庆的面积比北京大多了。
☐ 2) 重庆在中国的东南边。
☐ 3) 重庆是很多少数民族的聚居地。
☐ 4) 重庆比较潮湿，经常有雾。
☐ 5) 重庆也叫“山城”，还有“雾都”之称。

C 选择（答案不只一个）

在重庆 ____。

a) 游客能观赏到青山绿水
b) 很多游客喜欢去长江三峡游玩
c) 游客只能吃到水煮鱼
d) 游客很难吃到面食

D 回答问题

1) 重庆是个什么样的城市？

2) 为什么重庆的水路交通非常发达？

保护村落

我的老家在江苏无锡的杨家村。那是典型的江南农村。杨家村很小，全村只有十二户人家。村里的房子灰砖白墙，一字排开。村落被一片绿油油的农田包围着，旁边有竹林、小河，远远望去简直像一幅水墨画。

杨家村的人都姓杨，都是亲戚。我上小学时每年都回村里过春节。乡下的春节非常有年味。每家每户都蒸年糕、做汤圆、挂红灯笼。为了驱邪、迎新，村里人还会放爆竹。大年初一，我们会挨家挨户地给各位亲戚拜年。

上中学后我就很少回杨家村了。今年暑假我回去待了一个星期。最后一天离开时，村里的几位长辈来为我送行。住在村子西边的杨老伯低着头说："这可能是你最后一次回村里了。多看一眼吧！"隔壁的张阿姨拉着我的手说："你明年来，我们可能就不是邻居了。"我觉得很奇怪，纳闷儿地问："你们在说什么呀？"大伯解释后我才知道原来杨家村将被拆除。一条高速公路将从村子中间穿过，村子附近还要建一个主题公园。

杨家村要被拆除，我感到特别可惜。一方面，村子是农村的命脉。村落没了，传统文化怎么传承呢？但是，另一方面，农村要现代化，变化又是不可避免的。这真是一件两难的事情。

A 填量词

1) 一 ____ 人家　2) 一 ____ 农田　3) 一 ____ 水墨画　4) 一 ____ 星期

5) 一 ____ 长辈　6) 一 ____ 公路　7) 一 ____ 公园　8) 一 ____ 事情

B 判断正误，并说明理由

	对	错
1) 杨家村在江苏无锡，是典型的江南农村。 ______________________	____	____
2) 杨家村的房子白砖灰墙，围成一个“口”字，像四合院一样。 ______________________	____	____
3) 杨家村是一个美丽的村子，像一幅国画。 ______________________	____	____

C 配对

☐ 1) 杨家村是一个很小的村子，

☐ 2) 杨家村周围有农田，

☐ 3) 杨家村的村民都姓杨，

☐ 4) 在杨家村过年非常有年味，

☐ 5) 杨家村要被拆除了，

☐ 6) 杨家村的村民明年

a) 旁边还有一条小河。

b) 都是亲戚。

c) 只有十几户人家。

d) 因为一条高速公路将从这里穿过。

e) 很可能就不住在一起了。

f) 家家户户都做传统的食品，还挂灯笼、放爆竹。

D 回答问题

1) “我”是怎么得知杨家村将被拆除的？“我”持什么态度？

2) 如果村子都没了，会有什么影响？

E 学习反思

假如你的老家在杨家村，村子将被拆除，你觉得可惜吗？为什么？

F 学习要求

学会表达一种观点，掌握三个句子、五个词语。

斯宅村

在浙江，青山绿水的怀抱中有一个斯宅村。村里有被誉为“江南第一巨宅”的斯盛居。斯盛居由八个四合院古建筑群组成，里面共有一百二十一个房间，可以住三四十户人家。现在住在里面的人都姓斯，都是当地巨富斯元儒的后人，而且是他的直系亲属。

两百多年前，斯元儒外出赚钱后回到家乡盖了斯盛居。他还办了私塾，教育自己的子孙后代。现在居住在老宅里的斯元儒的后代一直延续着重视教育的传统。这里每年都有不少年轻人考上大学，还有人当上了大学教授。

斯元儒的后人还继承了中国“百行孝为先”的孝道传统。孝敬老人的事迹在斯盛居处处可见。一位媳妇长年累月地照顾着八十多岁的老母亲和一百多岁的婆婆。一个在外地开皮鞋厂的小伙子每年都免费给老宅里的老人提供皮鞋。除此之外，斯盛居的老人还享受着老年服务中心的照顾和关爱。在这里人人都老有所依，可以安享晚年。

这些都只是斯宅村生活的一个缩影。斯宅村的居民都保留着尊师重教、孝顺长辈的传统美德。

A 选择

1) “百行孝为先”的意思是 ____。

a) 每个家庭都出孝子

b) 孝顺是最重要的美德

c) 每家都应该有一个孝子

2) “老有所依”的意思是 ____。

a) 孝敬老人

b) 依靠年纪大的人

c) 年纪大了以后有依靠

B 判断正误，并说明理由

	对	错
1) 斯宅村在浙江，附近有山有水，风景秀丽。 ________________________________	____	____
2) 斯盛居是一个大四合院，里面有上百个房间。 ________________________________	____	____
3) 住在斯盛居的人都是斯元儒的直系亲属。 ________________________________	____	____

C 配对

☐ 1) 两百多年前，斯元儒	a) 尊敬师长、孝顺长辈的美德。
☐ 2) 斯盛居被称为	b) 安心享受着晚年的生活。
☐ 3) 斯元儒的很多后人	c) “江南第一巨宅”。
☐ 4) 斯盛居的老人都	d) 都考上了大学，有的还从事高等教育工作。
☐ 5) 斯宅村的居民还保留着	e) 发财后回家乡建了斯盛宅。

D 回答问题

1) 住在斯盛居的居民为什么都姓斯？

2) 在外地开皮鞋厂的小伙子是怎样孝敬老人的？

E 学习反思

怎样才算做到孝顺长辈？你做到孝顺父母了吗？请举例说明。

F 学习要求

学会表达一种观点，掌握三个句子、五个词语。

9 根据实际情况回答问题

1) 你在乡村生活过吗？你对乡村生活有什么印象？

2) 你喜欢住在城市还是郊区？为什么？

3) 你现在住在城市还是郊区？你喜欢现在居住的地方吗？为什么？

4) 你是从什么时候开始住在这里的？你们为什么决定住在这里？

5) 你们家周围的居住环境怎么样？

6) 你居住的社区有哪些休闲娱乐设施？有游乐场、电影院、剧院吗？

7) 你经常用哪些设施？你对这些设施满意吗？

8) 你希望你家的社区增建哪些设施？为什么？

9) 你居住的社区交通方便吗？

10) 你现在就读的学校是公立学校还是私立学校？你们学校的师资怎么样？

11) 你转过学吗？你当时的心情怎么样？为什么？

12) 假如你有决定权，你最想搬到哪儿去住？为什么？

10 成语谚语

A 成语配对

☐ 1) 博学多才	a) 态度温和，容易亲近。
☐ 2) 才貌双全	b) 心气平和，不急不躁(zào)。
☐ 3) 和蔼(ǎi)可亲	c) 形容有才能的人不断地成批(chéng pī)涌现(yǒng xiàn)。
☐ 4) 心平气和	d) 学识广博，有多方面的才能。
☐ 5) 人才辈出	e) 才能与容貌(róngmào)俱(jù)佳(jiā)。

B 中英谚语同步

1) 说起来容易，做起来难。 Easier said than done.

2) 门门精通(jīngtōng)，样样稀松(xī sōng)。 Jack of all trades and master of none.

3) 一心不能二用。 A man cannot spin and reel at the same time.

11 文体

日记格式

xx 年 xx 月 xx 日　星期 x　　天气：xx

- 正文：一般以第一人称来写，记录刚发生的事情。
- 一般用过去时写。

12 写作

题目 你们家最近搬家了。请写一篇日记介绍你的新家。

你可以写：

- 你搬家的原因
- 新家周围的环境
- 新家附近的设施
- 新家与之前居住的地方的区别
- 住在这里的优势和劣势
- 刚搬来时的心情和现在的感受
- 你的新学校
- 你理想的居住环境

你可以用

a) 我们的新家在一个小镇上。这里很清静，空气很好，邻居也特别友好。因为我以前住在大城市里，所以有时候会觉得这里太静了，有点儿不习惯。

b) 我们新家周围的配套设施非常齐全，有菜市场、超市、药店、邮局等，附近还有一个大商场。这个小区不仅生活方便，而且环境优美。小区里到处都是花草树木，非常漂亮。

c) 因为我考进了一所名牌中学作插班生，所以我们家搬到了学校附近。我的新家在闹市区。虽然上学很方便，但是周围非常嘈杂，交通也很拥挤。我现在还不太习惯。上学的前几天我有点儿发愁，担心是否能交到朋友，是否能适应新学校的课程。

阴阳五行(xíng)

阴阳五行学说是中国古典哲学(zhé xué)思想的核心。中国古人用这一学说来解释(jiě shì)自然界中各种现象和事物之间的关系。

阴阳指世界上一切事物中都有的两种既互相对立(duì lì)又互相联系的力量。最初，向着阳光(yáng guāng)的事物为阳，背(bèi)着阳光的叫阴。后来阴阳的意义被引申(yǐn shēn)了，阳用来指所有光明、温暖的东西和现象，而阴用来指所有黑暗(hēi àn)、寒冷的东西和现象。具体来说，白天为阳，黑夜为阴；日为阳，月为阴；天为阳，地为阴；动为阳，静为阴。同时，阴阳又互相关联(guān lián)、互相依存(yī cún)、互相转化(zhuǎn huà)，在不断变化中维持平衡(wéi chí píng héng)。换句话说就是任何一个具体的事物都有阴阳两重性，阴中有阳，阳中有阴。阴阳学说深刻地影响了中国人的世界观和人生观。

五行指的是木、火、土、金、水五种基本物质的运行(yùn xíng)和变化。在古代，哲学家用五行理论来解释世界万物的形成及其相互之间的关系。五行之间相生相克(xiāngshēngxiāng kè)：木生火、火生土、土生金、金生水、水生木；木克土、土克水、水克火、火克金、金克木。五行之间的相生相克永(yǒng)无止境(wú zhǐ jìng)，宇宙(yǔ zhòu)也因此无穷(wú qióng)存在。

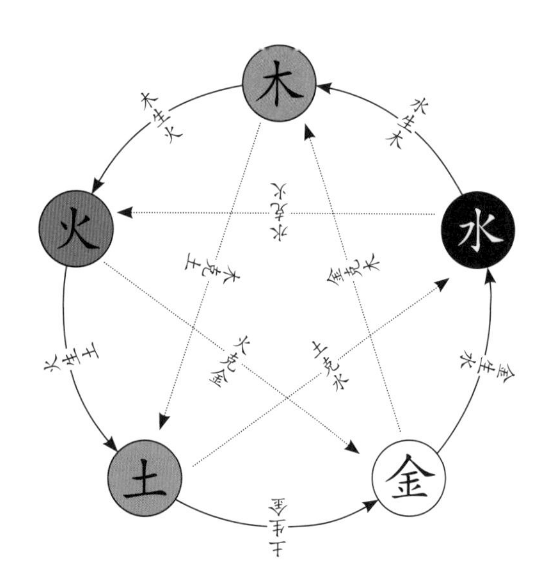

A 写意思

1) 解释：＿＿＿＿＿＿

2) 对立：＿＿＿＿＿＿

3) 引申：＿＿＿＿＿＿

4) 关联：＿＿＿＿＿＿

5) 依存：＿＿＿＿＿＿

6) 转化：＿＿＿＿＿＿

7) 平衡：＿＿＿＿＿＿

8) 宇宙：＿＿＿＿＿＿

B 归类

阳		白天 太阳 月亮 静 地 男 天
阴		寒冷 温暖 黑夜 动 夏 冬 女

C 判断正误

☐ 1) 阴阳五行学说是中国古典哲学思想的重要组成部分。

☐ 2) 阴阳五行学说主要用来解释人与人之间的关系。

☐ 3) 任何事物都有两面性，好事中有坏的一面，坏事中也有好的一面。

☐ 4) 木、火、土、金、水这五种基本物质的运行和变化叫五行。

☐ 5) 五行不仅相生，而且相克，相生相克没有止境。

D 判断正误，并说明理由

对 错

1) 阴阳是指一切事物中都有的相互对立、相互联系的力量。

________________________________ ______ ______

2) 中国人的世界观和人生观深深地受到了阴阳学说的影响。

________________________________ ______ ______

E 回答问题

1) 阴阳之间是什么关系？

2) “五行相生”指的是什么？

F 学习反思

中国有句俗语“塞翁失马(sài wēng shī mǎ)，焉知非福(yān zhī fēi fú)”。怎样理解事物没有绝对的好，也没有绝对的坏？

G 学习要求

学会表达一种观点，掌握三个句子、五个词语。

难忘的旅行

生词

1. 卷 (juàn) volume
2. 里 (lǐ) li, 1/2 kilometer

读万卷书，行万里路。

3. 光 (guāng) solely 不光 (bù guāng) not only
4. 游山玩水 (yóu shān wán shuǐ) tour the scenic spots

旅游不光是游山玩水，还能让我们有所收获。

5. 港 (gǎng) harbour 港口 (gǎng kǒu) harbour
6. 马六甲 (mǎ liù jiǎ) Malacca, a harbour city in Malaysia
7. 华人 (huá rén) Chinese
8. 聚居 (jù jū) live in a region (as a compact group)
9. 闽（閩）南 (mǐn nán) Southern Fujian
10. 潮州 (cháo zhōu) a city in Guangdong province
11. 招 (zhāo) attract
12. 牌 (pái) board 招牌 (zhāo pai) signboard
13. 街道 (jiē dào) street
14. 排 (pái) row of; line of; a measure word

马六甲的街道上有一排排的中式建筑。

> **Grammar:** a) Pattern: 一 + Measure Word + Measure Word
> b) This pattern indicates a large quantity.

15. 古色古香 (gǔ sè gǔ xiāng) of antique taste
16. 家具 (jiā jù) furniture
17. 游客 (yóu kè) tourist
18. 刚 (gāng) just
19. 南洋 (nán yáng) an old name for the Malay Archipelago, the Malay Peninsula and Indonesia or for Southeast Asia
20. 艰（艱）(jiān) difficult 艰苦 (jiān kǔ) arduous; hard
21. 奋斗 (fèn dòu) fight; struggle 艰苦奋斗 (jiān kǔ fèn dòu) arduous struggle
22. 年代 (nián dài) year; time

中式建筑和中式家具，好像把游客带回了中国人刚到南洋艰苦奋斗的年代。

23. 保留 (bǎo liú) keep; retain
24. 张 (zhāng) display
25. 结 (jié) tie

张灯结彩 (zhāngdēng jié cǎi) be decorated with lanterns and colourful streamers

26. 凡 (fán) ordinary 非凡 (fēi fán) extraordinary

春节期间的马六甲张灯结彩，热闹非凡。

27. 宗 (zōng) clan
28. 祠 (cí) ancestral temple 宗祠 (zōng cí) ancestral hall or temple
29. 教堂 (jiào táng) church
30. 酒吧 (jiǔ bā) bar
31. 交织 (jiāo zhī) interweave
32. 丽（麗）(lì) beautiful 美丽 (měi lì) beautiful
33. 道 (dào) a measure word (used for rivers and certain long and narrow things)

中式的宗祠和餐厅加上西式的教堂、咖啡馆和酒吧，交织成了一道美丽的风景线。

34. 肴（餚）(yáo) meat and fish dishes 佳肴 (jiā yáo) delicacies
35. 娘惹菜 (niáng rě cài) Nyonya dishes
36. 并（併）(bìng) combine 合并 (hé bìng) merge
37. 连 (lián) even

连马六甲的佳肴——娘惹菜——也是由中国菜和马来菜合并形成的。

> **Grammar:** a) Sentence Pattern: 连 ... 也 / 都 ...
> b) This pattern introduces an example of the last thing something ought to be, but it is so.

38. 体现 (tǐ xiàn) embody
39. 魅 (mèi) attract 魅力 (mèi lì) charm
40. 以及 (yǐ jí) as well as
41. 慧 (huì) intelligent 智慧 (zhì huì) intelligence
42. 风土人情 (fēng tǔ rén qíng) local conditions and customs
43. 完美 (wán měi) perfect
44. 融 (róng) blend 融合 (róng hé) mix together
45. 加深 (jiā shēn) deepen

1 完成句子

1) 旅游不光是游山玩水，还能让我们有所收获。

____ 不光 ____，还 ____。

2) 那里的华人有的说普通话，有的说闽南话，还有的说潮州话。

____ 有的 ____，有的 ____，还有的 ____。

3) 中式建筑和中式家具，好像把游客带回了中国人刚到南洋艰苦奋斗的年代。

____，好像 ____。

4) 连马六甲的佳肴——娘惹菜——也是由中国菜和马来菜合并形成的。

连 ____ 也 ____。

5) 这些都体现了中国文化的影响和魅力，以及华人的聪明和智慧。

____，以及 ____。

6) 马六甲之行让我体验到了马来西亚独特的风土人情以及中国文化与马来文化的完美融合。

____ 之行 ____。

2 听课文录音，做练习

A 回答问题

1) 她是什么时候去马六甲的？

2) 在马六甲，她体验到了哪些文化？

3) 去马六甲旅游，她有哪些收获？

B 选择（答案不只一个）

1) 马六甲 ____。
   a) 是一个港口城市
   b) 街道上的建筑都是中式的
   c) 街上的一些招牌是用中、英双语写的

2) 旅游不光是游山玩水，还能让游客 ____。
   a) 了解当地的文化和历史
   b) 体验当地独特的风土人情
   c) 开阔眼界

3) 马六甲的华人 ____。
   a) 刚到马来西亚时生活很艰苦
   b) 把中国文化带到了马来西亚
   c) 还保留着过春节的中国传统习俗

课文

马六甲之行

“读万卷书，行万里路。”我们不仅要多读书，还要多出去看看。旅游不光是游山玩水，还能让我们有所收获。

今年春节，我们一家人去了马来西亚的港口城市马六甲旅游。马六甲是华人的聚居地。那里的华人有的说普通话，有的说闽南话，还有的说潮州话。很多商店的招牌都是用中文和英文两种语言写的。马六甲的街道上有一排排的中式建筑，房子里有古色古香的中式家具，好像把游客带回了中国人刚到南洋艰苦奋斗的年代。除了语言、文字、建筑以外，马六甲还保留着很多中国传统的文化和习俗。春节期间的马六甲张灯结彩，热闹非凡。

在马六甲，中式的宗祠和餐厅加上西式的教堂、咖啡馆和酒吧，交织成了一道美丽的风景线。连马六甲的佳肴——娘惹菜——也是由中国菜和马来菜合并形成的。所有这些都体现了中国文化的影响和魅力，以及华人的聪明和智慧。

马六甲之行让我体验到了马来西亚独特的风土人情以及中国文化与马来文化的完美融合，同时也开阔了我的眼界，加深了我对华人在南洋发展史的了解。

3 用所给结构及词语写句子

1) 旅游不光是游山玩水，还能让我们有所收获。 → 有所　提高
2) 马六甲的街道上有一排排的中式建筑。 → 一幢幢　西式
3) 春节期间的马六甲张灯结彩，热闹非凡。 → 期间　接触
4) 连娘惹菜也是由中国菜和马来菜合并形成的。 → 连……也……　招牌

4 小组讨论

要求　小组讨论关于旅游的话题。

讨论内容包括：

- 去哪里旅游
- 跟团游还是自由行
- 乘搭的交通工具

例子：

同学 1： 我们家喜欢去世界各地旅游。我们去过亚洲、欧洲、美洲和大洋洲。我们打算明年去非洲看看。

同学 2： 我们家经常去中国旅行。跟坐飞机相比，我们更喜欢坐高铁。坐高铁又舒适又便宜。

同学 3： 坐在火车上十几个小时，不会觉得无聊吗？

同学 2： 不会无聊。火车上的活动空间比较大，可以走动，还可以看沿线的风景，我们都觉得很享受。

同学 3： 听起来不错。你们喜欢跟团游还是自由行？我们家比较喜欢跟团旅游，不用自己安排吃、住、行，非常省心。

……

你可以用

a) 坐火车旅行其实很舒适。你可以在火车上看书、打牌、玩儿游戏，还可以自由走动。

b) 乘坐长途巴士旅行十分便宜，但是车上的空间非常小，完全不能走动，会觉得很不舒服。

c) 学生一般没有多少钱。背包自由行是他们的首选。

d) 跟团游在每个景点的时间都很短，有时候只够拍照片的，有点儿走马观花的感觉。

e) 坐游轮旅行自由自在的。游轮上的设施应有尽有，娱乐生活很丰富。

5 角色扮演

情景 你向爸爸建议全家人去新加坡和马六甲旅行，由你来安排行程。

例子：

你： 我建议今年暑假我们一家人去新加坡和马六甲旅行。

爸爸： 你为什么想去这两个地方？

你： 因为在新加坡和马六甲可以体验多元文化的融合。在新加坡可以体验中国文化、印度文化和马来文化的完美融合。在马六甲不仅可以品尝中国菜和马来菜结合形成的娘惹菜，还可以了解华人在南洋的发展史。

爸爸： 听起来很有趣。我们应该去看看，感受一下不同文化完美融合的魅力。那我们怎么去？跟旅行团去还是自由行？

你： 我建议自由行。我们可以先坐飞机去新加坡，在那里玩三天，然后坐长途巴士去马六甲。

爸爸： 好主意！你觉得如果我们去新加坡和马六甲两个地方，一共需要几天？

你： 至少要六天。您和妈妈的假期够不够？

爸爸： 六天不算太长，应该没问题。那我们住什么样的酒店？你有什么想法吗？

你： 这次旅行我想尝试一下住民宿。在新加坡和马六甲有很多有特色的房子。住在那里一定很有意思，而且价钱也不贵。

……

你可以用

a) 新加坡是一个岛国，别称是“狮城”。它还有“花园城市”的美称。

b) 新加坡有五百多万人，其中华人约占总人口的百分之七十四。

c) 新加坡没有冬天。一年四季的平均气温在二十三度到三十三度之间。

d) 新加坡有很多美食，有海南鸡饭、肉骨茶等。

e) 新加坡的中国城叫牛车水。那里有许多中式建筑，还有各式各样的中国商品。

f) 马六甲位于马来半岛的南面，曾经被葡萄牙人、荷兰人和英国人占领过。在马六甲，华人人口的比例很高。

g) 在马六甲，具有中国特色的传统建筑到处可见，而且保存得很好。

6 阅读理解

春节特色游

春节是中国人最重要的传统节日。除了走亲访友之外，举(jǔ)家(jiā)出游也是欢庆春节的好选择。今年本社特别推出了三个春节家庭出游项目。

（一）广州＋香港

广州的粤菜(yuè cài)非常正宗(zhèngzōng)，有大量的美味佳肴等着你。春节期间广州会举办花展，十分热闹。广州周边也有丰富的旅游资源。肇庆(zhàoqìng)一日游或开平碉楼(diāo lóu)两日游都是不错的选择。你还可以顺便(shùnbiàn)去香港转一圈，体验一把香港的年味。

（二）珠(zhū)海＋澳门

珠海离澳门只有一步之遥(yí bù zhī yáo)，是中国最宜居的城市之一。春节期间，你可以舒舒服服地在珠海小住几天，享受慢节奏的生活。你还可以一步跨(kuà)到澳门去转一转。在澳门，除了各种娱乐场之外，还有地道的葡式美食等你去品尝。

（三）三亚

三亚的冬天温暖舒适，是国人首选的度假胜地。不过春节期间三亚游人众多，一房难求，需要尽早预订(yù dìng)。

A 选择

1)“举家”的意思是______。

a) 家长　b) 孩子　c) 全家

2)“一步之遥”的意思是______。

a) 很近　b) 很远　c) 不太近

3)“一房难求”的意思是______。

a) 租房很容易　b) 很难租到房子

c) 买房子很难

B 判断正误

广告（一）

☐ 1) 广州的粤菜不地道。

☐ 2) 去广州过春节能顺便去肇庆玩。

☐ 3) 从广州去香港很方便。

广告（二）

☐ 1) 珠海离澳门很近。

☐ 2) 珠海的生活节奏太慢了，不适合居住。

☐ 3) 澳门有地道的葡萄牙美食。

广告（三）

☐ 1) 三亚的冬天冷极了。

☐ 2) 冬天很多国人喜欢去三亚度假。

☐ 3) 冬天去三亚要早订酒店。

C 学习反思

在这三则广告介绍的地方中，你想去哪里过春节？为什么？

年轻人过年的方式

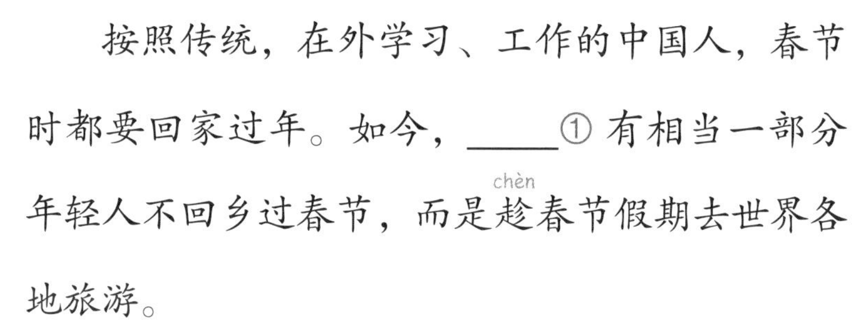

按照传统，在外学习、工作的中国人，春节时都要回家过年。如今，_____①有相当一部分年轻人不回乡过春节，而是趁(chèn)春节假期去世界各地旅游。

年轻人过年出境游的目的各异。有些人加入出国购物团。参加购物团的人一般对低档(dī dàng)货品不感兴趣，_____②是直奔(bèn)高档商品，如名牌皮包、手表等。有些人会去海岛。在蓝色的海边、白色的沙滩上举行一场别开生面的婚礼是很多人的梦想。还有些人舍得花昂贵(áng guì)的费用，去参加高端(gāo duān)养生旅游，_____③去国外徒步(tú bù)、滑雪、潜水(qián shuǐ)等，以减轻生活和工作的压力，在新一年有更好的状态(zhuàngtài)。

除了自己出去旅游，越来越多的的年轻人会接上父母一起出境过年。有些人是因为不希望回家后被周围的三姑六婆关心他们的个人问题，比如是否有对象、何时成家、什么时候要孩子等。有些成了家的年轻人是考虑到每年回家过年买礼物的开支，加上给出的压岁钱，成本实在太高，_____④不如用这些钱带父母出去观光旅游、见见世面，以尽孝心。

A 选词填空

甚至　而　还

即使　或　却

1) ______

2) ______

3) ______

4) ______

B 选择

1)“别开生面”的意思是 ____。

a) 另一种不同的风格　b) 费用昂贵

c) 有异国情调

2)“三姑六婆”是指 ____。

a) 家人、朋友　b) 家里的长辈

c) 爱搬弄是非的妇女

C 判断正误，并说明理由

	对	错
1) 参加出国购物团的年轻人喜欢买物美价廉的商品。		
____	____	____
2) 很多年轻人都向往在海边的沙滩上举行婚礼。		
____	____	____
3) 有的年轻人去国外做各种运动来减压，迎接新年的到来。		
____	____	____

D 配对

☐ 1) 一些年轻人愿意花很多钱

☐ 2) 现在很多年轻人选择不回家，

☐ 3) 年轻人不希望回家过年是因为

☐ 4) 过年回家买礼物和给压岁钱

☐ 5) 带父母观光旅游

a) 不想被问起私人生活状况。

b) 把钱花在观光旅游上，能让他们开开眼界。

c) 而是把父母从老家接出来过年。

d) 是年轻人尽孝心的好方式。

e) 都是不小的开支。

f) 参加高端养生旅游。

g) 或者加入海外购物团。

E 回答问题

1) 按照传统，中国人过春节要做什么？

2) 除了回乡，现在的年轻人还会怎么过春节？

F 学习反思

1) 你是否觉得一定要跟家人一起庆祝重要的节日？为什么？

2) 你想不想过一个不一样的传统节日？你有什么计划？

G 学习要求

学会表达一种观点，掌握三个句子、五个词语。

自助游与随(suí)团(tuán)旅游的利弊

现代人大多喜欢旅行。有的人喜欢自助游，有的人喜欢随团旅游。俗话说，每个硬(yìng)币(bì)都有两面。这两种旅游方式都各有利弊。以下是自助游和随团旅游的优点与缺点。

自助游就是吃、住、行、游一切都由自己安排、自己搞(gǎo)定(dìng)。自助游的主要优点是自由度大、行程灵活。什么时候走、去什么地方都可以。

自助游的缺(quē)点(diǎn)是什么都得事先想好、事先安排好，否则可能会遇到麻烦、问题。特别是节假日去著名的景点，景区门票和酒店可能早就被旅行社买光、订光了。个人当场买票、订房间比较难。

随团旅游一切都是由旅行社安排的：包吃、包住，还负责行程安排。游客什么都不用操心，只要养好精神一路吃喝玩乐就可以了。在行程安排方面，旅行社会选择最佳路线和最有代表性的景点，给游客最好的体验。另外，因为是团体消(xiāo)费(fèi)，随团旅游的费用一般也不太高。

随团旅游的弊(bì)端(duān)是行程安排不灵活。有些安排即使不喜欢也不能做调整，只能硬着头皮跟着走。饭菜还可能会不合胃口，只能不吃或者自己再去买别的东西吃。

A 翻译

1) 每个硬币都有两面。

2) 这两种旅游方式都各有利弊。

3) 只能硬着头皮跟着走。

B 配对

☐ 1) 第一段	a) 自助游的不便之处。
☐ 2) 第二段	b) 随团旅游的缺点。
☐ 3) 第三段	c) 随团旅游的优点。
☐ 4) 第四段	d) 自助游的好处。
☐ 5) 第五段	e) 自助游与随团旅游都有优缺点。

C 判断正误

☐ 1) 大部分现代人都经常去旅行。

☐ 2) 自助游和跟团游各有优点和缺点。

☐ 3) 如果自助游不事先安排好，有可能没有地方住或买不到票。

☐ 4) 旅行社安排的线路、酒店和饭店都是最好的。

☐ 5) 在费用方面，随团旅游比自助游贵多了。

D 配对

☐ 1) 自助游在行程方面，	a) 什么事都要提前安排、亲力亲为。
☐ 2) 如果选择自助游，	b) 只管尽情游玩。
☐ 3) 选择跟团游的好处是旅行社	c) 有很大的主动权。
☐ 4) 跟团游，游客不用操心任何事，	d) 订不到机票、酒店。
☐ 5) 在旅游旺季，自助游可能	e) 帮忙搞定一切。

E 回答问题

1) 随团旅游在行程和景点安排方面有哪些优势？

2) 为什么随团旅游的费用往往不太高？

F 学习反思

你觉得自助游与随团旅游哪种方式更适合你？为什么？

G 学习要求

学会表达一种观点，掌握三个句子、五个词语。

9 根据实际情况回答问题

1) 你们一家人喜欢旅游吗？你们经常去哪里旅游？

2) 你们一般什么时候去旅游？

3) 你们一般跟团游还是自助游？你更喜欢哪种方式？为什么？

4) 你们最近一次旅游去了哪里？为什么去那里？

5) 你们去过东南亚的哪些国家？你最喜欢哪里？为什么？

6) 你最喜欢哪个城市？那里跟你所居住的城市或地区有什么相同之处？有什么不同之处？

7) 介绍一下你去过的多种文化融合的城市或地区。多种文化的交融表现在哪些方面？

8) 旅游有哪些好处？请讲一讲你最开心或收获最大的一次旅行。

9) 你旅游的时候遇到过不开心的事情吗？请讲一讲你的经历。

10) 你会说什么语言？什么方言？你父母呢？

10 成语谚语

A 成语配对

□	1) 束手无策 (shù shǒu wú cè)	a) 形容人的眼睛发亮，很有精神。
□	2) 胸无大志 (xiōng)	b) 比喻继续努力，再加一把劲。
□	3) 闻所未闻	c) 面对问题时，没有办法解决。
□	4) 再接再厉 (lì)	d) 心中没有远大的志向与抱负 (bào fù)。
□	5) 炯炯有神 (jiǒngjiǒng yǒu shén)	e) 听到从来没有听过的事。形容事物新奇罕见 (xīn qí hǎn jiàn)。

B 中英谚语同步

1) 百闻不如一见。 Seeing is believing.

2) 一分价钱一分货。 You get what you pay off.

3) 三百六十行，行行 (hángháng) 出状元 (zhuàngyuan)。 Every trade has its master.

11 文体

记叙文格式

标题

- 记叙文的六要素是所写事情的时间、地点、人物、起因、经过、结果。
- 记叙文的人称较多使用第一人称和第三人称。
- 记叙文的表达方式主要是叙述和描写，也常穿插一些抒情和议论。

12 写作

题目1 请讲一讲你最难忘的一次旅游。

你可以写：

- 你什么时候、跟谁、去了哪里旅游
- 为什么去那里旅游
- 你们乘搭的是什么交通工具
- 那里有哪些旅游景点
- 你最喜欢哪个景点
- 你们做了哪些活动
- 你们品尝了哪些当地的美食
- 你对那里的印象怎么样
- 你有哪些收获

题目2 请比较自助游与跟团游，并表达你的倾向。

以下是一些人的观点：

- 自助游灵活性大，行程的安排非常自由。
- 自助游可以根据自己的喜好选择酒店和饭店。
- 跟团游才是真正的旅游，什么都不用操心，只要享受就可以了。
- 跟团游价钱便宜，还可以认识很多新朋友。

宗祠

祠堂又叫宗祠，是家族供奉祖先神灵的场所，是家族最神圣的地方。家族中的各种祭祀、家规的实施、婚葬嫁娶寿喜等重要事务都安排在祠堂里。

祠堂的选址和建造都非常讲究。从风水的角度来看，好的祠堂一般是背靠山，面对水的。祠堂门前要有水塘或者河流，大路或者桥梁，因为河流、道路主管财源。供奉神灵牌位的祭堂一定要宽敞高大、光线充足，建材质地一定要很好。有了这样的祠堂，家族才能财运好、官运强、人丁兴旺。

在江南、广东一带，几乎村村都有祠堂，而且祠堂一定是村中最庄严、富丽的建筑，因为它集聚了整个家族的财富，同时也显现出整个家族的实力。有些祠堂还有祠徽、祠歌、祠旗等。有的祠堂中还记载着祖训和族规，时时告诫族人如何做人处事，违规者将受到什么样的惩罚。

祠堂作为家族的象征、宗亲教育的场所，至今仍然发挥着积极的作用。

A 配对

- ☐ 1) 第一段 | a) 祠堂选址和建造方面的讲究。
- ☐ 2) 第二段 | b) 祠堂是家族中最重要、最神圣的场所。
- ☐ 3) 第三段 | c) 祠堂的作用延续至今。
- ☐ 4) 第四段 | d) 南方各地的祠堂及其功能。

B 配对

- ☐ 1) 风水好的祠堂 | a) 从祠堂就能看出这个家族的实力。
- ☐ 2) 祠堂门前的大道与河流 | b) 要后面有山，前面有水。
- ☐ 3) 在江南一带，村子里的祠堂 | c) 告诫族人该怎么做人做事。
- ☐ 4) 祠堂聚集了整个家族的财富， | d) 一定是那里最庄严、豪华的建筑。
- ☐ 5) 祠堂是宗亲教育的场所， | e) 主管财源，能给家族带来财富。

C 判断正误，并说明理由

对 错

1) 从风水的角度看，好的祠堂一般在山里。

______________________________ ____ ____

2) 人们认为宽敞、明亮、建材质地好的祭堂能给家族带来官运和财运。

______________________________ ____ ____

D 回答问题

1) 为什么祠堂是家族中最神圣的场所？

2) 家族里的哪些事务在祠堂里举行？

E 学习反思

祠堂一般建在村子里。如果村子没了，祠堂也可能会消失。
你赞同以后在城市里建祠堂吗？

F 学习要求

学会表达一种观点，掌握三个句子、五个词语。

低碳生活

生词

❶ 负责 (fù zé) be responsible

❷ 救 (jiù) save

❸ 地球 (dì qiú) the earth

❹ 存 (cún) exist 生存 (shēng cún) live; exist

❺ 制造 (zhì zào) make; manufacture

❻ 污 (wū) dirty; filthy

❼ 染 (rǎn) pollute 污染 (wū rǎn) pollute

❽ 光 (guāng) light

人类在生存、发展的同时制造了各种污染：空气污染、水污染、光污染等。

❾ 飞快 (fēi kuài) very fast

❿ 改造 (gǎi zào) reform

⓫ 遭 (zāo) suffer 遭受 (zāo shòu) suffer

⓬ 严重 (yán zhòng) serious

⓭ 破 (pò) break 破坏 (pò huài) destroy

人类飞快地改造着大自然，我们的生存环境也遭受到了严重的破坏。

⓮ 宣 (xuān) announce; proclaim 宣传 (xuānchuán) publicize

⓯ 加强 (jiā qiáng) strengthen

我们要宣传环保的重要性，加强环保意识。

⓰ 减少 (jiǎnshǎo) reduce

⓱ 氧 (yǎng) oxygen 二氧化碳 (èr yǎng huà tàn) carbon dioxide

⓲ 排放 (pái fàng) emit

⓳ 耗 (hào) consume 消耗 (xiāo hào) consume; consumption

⓴ 支 (zhī) pay or draw (money) 开支 (kāi zhī) expenses

低碳生活就是要减少二氧化碳的排放，以低能量、低消耗和低开支的方式生活。

㉑ 驾（駕）(jià) drive ㉒ 搭 (dā) take 搭乘 (dā chéng) take

㉓ 以 (yǐ) so as to

要少驾车，多搭乘公共交通工具，以减少对空气的污染。

㉔ 能 (néng) energy

㉕ 源 (yuán) source 能源 (néngyuán) energy resources 资源 (zī yuán) resources

㉖ 天然气 (tiān rán qì) natural gas

㉗ 石油 (shí yóu) petroleum; oil

㉘ 尤其 (yóu qí) especially ㉙ 粮食 (liáng shi) grain

要减少资源消耗，尤其不能浪费水，不能浪费粮食。

㉚ 物品 (wù pǐn) article; goods

㉛ 家园 (jiā yuán) homeland

地球是我们共同的家园。

㉜ 公民 (gōng mín) citizen

㉝ 态（態）(tài) condition 态度 (tài dù) attitude

㉞ 经济 (jīng jì) economical

低碳是一种经济、健康的生活方式。过低碳生活，从我做起，从现在做起！

▲

> **Grammar: a) Pattern: 从 ... 起**
> **b) This pattern is used to indicate the start of an action.**

1 完成句子

1) 人类在生存、发展的同时制造了各种污染。

_____ 在 _____ 的同时 _____。

2) 低碳生活就是要减少二氧化碳的排放，以低能量、低消耗和低开支的方式生活。

_____ 就是要 _____。

3) 怎么样才是过低碳生活呢？

_____ 才是 _____ 呢？

4) 我们要少驾车，多搭乘公共交通工具，以减少对空气的污染。

_____ 少 _____，多 _____，以 _____。

5) 要减少资源消耗，尤其不能浪费水。

_____，尤其 _____。

6) 过低碳生活，从我做起，从现在做起！

_____，从 _____ 起，从 _____ 起！

2 听课文录音，做练习

A 回答问题

1) 这篇演讲的题目是什么？

2) 人类在生存、发展的同时制造了哪些污染？

3) 保护地球是谁的责任？

B 选择（答案不只一个）

1) 人类 _____。

a) 飞快地改造着大自然

b) 把所有的水都污染了

c) 破坏了自然环境

d) 制造了各种污染

2) 为了保护地球，我们应该 _____。

a) 加强环保意识

b) 只做宣传工作

c) 马上行动起来

d) 过低碳生活

3) 过低碳生活就是要 _____。

a) 少开车，多坐公共交通

b) 节约用电和天然气

c) 节约粮食　　d) 不买东西

课文 

各位老师、各位同学：

大家好！

我是学校环保小组的负责人。今天我演讲的题目是“低碳生活救地球”。

人类在生存、发展的同时制造了各种污染：空气污染、水污染、光污染等。人类飞快地改造着大自然，我们的生存环境也遭受到了严重的破坏。为了救地球、救人类，我们要宣传环保的重要性，加强环保意识，过低碳生活。

什么是低碳生活？低碳生活就是要减少二氧化碳的排放，以低能量、低消耗和低开支的方式生活。怎么样才是过低碳生活呢？第一，要过低排放的生活，少驾车，多搭乘公共交通工具，以减少对空气的污染。第二，要减少能源消耗，也就是说要节约用电，节约用天然气和石油。第三，要减少资源消耗，尤其不能浪费水，不能浪费粮食。第四，要减少开支，不买或少买不必要的物品。

地球是我们共同的家园，保护地球是每个公民的责任。低碳是一种生活态度，是一种经济、健康的生活方式。让我们大家行动起来！过低碳生活，从我做起，从现在做起！

谢谢大家！

3 完成句子

1) 今天我演讲的题目是 ________________。
2) 人类在生存、发展的同时制造了各种污染：________________。
3) 低碳生活就是要 ________________。
4) 地球是我们共同的家园，保护地球是 ________________。
5) 过低碳生活，从 ________________。

4 角色扮演

情景 你跟妈妈讨论你们家应该怎样以低能量、低消耗和低开支的方式生活。

例子：

你： 最近，我们学校的环保小组在宣传低碳生活，也就是说要以低能量、低消耗和低开支的方式生活。

妈妈：有道理。我们在家里可以做些什么呢？

你： 首先，我们应该少开车，多搭乘公共交通工具。这样可以减少对空气的污染。

妈妈：那怎么行呢？我们公司离家那么远，搭乘公共交通工具上下班要花很多时间。

你： 您可以早点儿起床，去坐公共汽车。我们还要减少能源消耗，也就是说要节约用电和天然气。

妈妈：这点我同意。如果房间里没有人，就要把灯、电扇和空调都关掉。我每天都煲(bāo)汤。这样会用掉很多天然气。那么我们家以后就不喝汤了吧？

……

你可以用

a) 你洗手、洗脸时水龙头一直开着。这样会浪费很多水。
b) 我们家每天都烧太多菜了，每次都吃不完。
c) 我们家不太珍惜食物。每次去超市都买很多零食，比如饼干、坚果、糖果等，吃不完过期了就直接扔了。这样太浪费了。
d) 我们的衣柜里有很多不穿的衣服。我们可以把它们捐出去，帮助有需要的人。

5 小组讨论

要求 你们小组建议学校举办“环保周”。

讨论内容包括：

- 学校有哪些不环保的现象
- “环保周”的活动计划

例子：

同学 1： 在我们学校有不少浪费能源和资源、不环保的现象。同学们没有节约的习惯，环保意识很差。

同学 2： 我同意。同学们很少随手关灯、关空调，习惯用一次性餐具，还总是买瓶装水喝。

同学 3： 除此之外，同学们还没有再用和回收的习惯。大部分人都把废纸、塑料袋、塑料餐具、玻璃瓶等直接扔进垃圾箱。

同学 1： 我们可以向校长提议举办“环保周”活动。

同学 2： 我赞成。我们可以在全校开展这个活动，让所有老师和同学都参加。

同学 3： 我们先制订一个活动计划吧！想想每天开展什么环保活动。

同学 1： 好主意。周一可以让餐厅跟我们配合，只卖素食。周二可以是“无电日”，让同学们体验没有电的生活。周三要做什么呢？

同学 2： 周三可以是“无塑料日”，请餐厅当天不提供一次性塑料餐具。周四和周五可以是“垃圾分类回收日”，让老师和同学把废品分类扔进回收箱里。

……

你可以用

a) 我们的目的是让同学们真正认识到环保的重要性。

b) 地球是我们共同的家园，保护地球是每个人的责任。

c) 几次“环保周”活动后，希望垃圾量会慢慢减少，自备水瓶的同学会多起来。

d) 我们争取每个月都举办一次“环保周”活动，让同学们慢慢养成节约、再用、回收的好习惯。

e) 在校园里，同学们要互相提醒，将饮料罐、废纸、塑料袋、玻璃瓶等分类放进回收箱。

f) 我们可以设计一个宣传广告，贴在各个教室里。

g) 让我们大家行动起来！从我做起，从今天做起！

6 阅读理解

社区通讯

警惕(jǐng tì)室内污染

如今人们都十分清楚室外污染的危害(wēi hài)。除了室外污染，室内污染也应受到关注。人们每天大约有百分之八十以上的时间都是在室内度过的。

室内污染的源头(yuán tóu)有来自室外的废气，建筑材料、装修(zhuāng xiū)材料和家具散(sàn)发(fā)出来的有毒气体，还有家庭使用的化学清洁剂(qīng jié jì)、空气清新剂以及香薰(xiāng xūn)蜡烛，甚至家中饲养的宠物等等。

室内污染不仅是空气污染，还有生物污染。在环境温暖潮湿的地区室内污染会造成更严重的影响。花粉(huā fěn)、蟑螂(zhāngláng)、其他昆虫(kūn chóng)以及霉变(méi biàn)的墙壁(qiáng bì)或地毯(dì tǎn)上的细菌(xì jūn)等都可能引发传染(chuán rǎn)病。

室内污染可能引发(yǐn fā)头痛、气短等症状(zhèng zhuàng)，会使人感到极度疲劳(pí láo)，产生(chǎn shēng)亚健康反应，严重的还会致病(zhì bìng)。希望社区的每个家庭都能警惕室内污染。注意不把室外的病菌(bìng jūn)带到室内，经常通风换气，不在室内吸烟，装修时挑选环保材料。

A 写意思

1) 警惕：________

2) 危害：________

3) 装修：________

4) 散发：________

5) 传染：________

6) 反应：________

B 选择

1) 人们可能在 ____ 看到这篇短文。

a) 报纸上　b) 社区里　c) 校园里

2) “亚健康”的意思是 ____。

a) 生病与健康之间的状态

b) 生病了　c) 身强力壮

C 判断正误

☐ 1) 建筑材料也可能造成污染。

☐ 2) 化学清洁剂也可能污染环境。

☐ 3) 家里的宠物也可能是污染的源头。

☐ 4) 地毯上的细菌不会使人得传染病。

☐ 5) 每个家庭都最好不要装修。

D 回答问题

1) 为什么室内污染应该受到人们的关注？

2) 室内污染可能造成什么影响？

全球变暖

如今气温升高成了全球性的热门话题。经常听人们提到“暖冬”和“酷暑(kù shǔ)”。

我妈妈是东北人。她常说她小时候的冬天滴水成冰(dī shuǐ chéng bīng)。气温零下几十度是家常便饭。那时，河面会结厚(hòu)厚的冰，小孩子可以在冰上玩耍(wán shuǎ)。我爸爸是南方人。他常说他小时候的夏天没有那么热。人们在树荫(shù yīn)下乘凉(chéng liáng)，一把扇子就够了。

我们的地球真的中暑(zhòng shǔ)了吗？那谁是气温上升的“元凶(yuán xiōng)”呢？有些科学家认为二氧化碳排放量的快速增加是导致全球变暖的重要因素(yīn sù)。最近几十年，大量的废气，特别是二氧化碳，被排入大气层。它们就像被子一样，在高空中遮(zhē)住大地，吸收了本应该反射出去的热量，使地球的温度不断升高。

全球变暖会导致(dǎo zhì)两极的冰雪融化(róng huà)，令海平面上升。企鹅(qǐ é)、北极熊等居住在两极的动物会失去居所，沿海(yán hǎi)、低洼(dī wā)地区会被淹没(yān mò)，人类的生存也会受到影响。除此之外，很多地方的气候会发生变化，强降雨、高温热浪、非寻常(xún cháng)的降雪等极端(jí duān)天气可能越来越多。

地球生病了。我们该怎么办？在面临生态灾难(miàn lín shēng tài zāi nàn)、家园失守(shī shǒu)的时刻，难道我们就这样坐以待毙(zuò yǐ dài bì)吗？

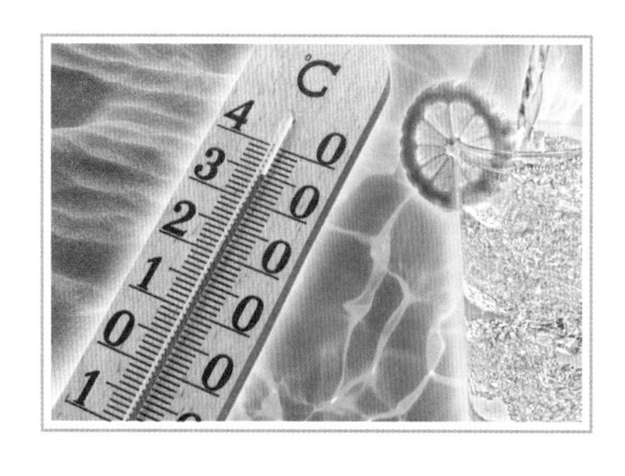

A 翻译

1) 气温零下几十度是家常便饭。

2) 一把扇子就够了。

3) 我们的地球真的中暑了吗？

4) 难道我们就这样坐以待毙吗？

B 判断正误

☐ 1) 二氧化碳是废气的一种。

☐ 2) 大气层中的二氧化碳像被子一样遮住了大地，保护着地球。

☐ 3) 由于北极的冰雪融化了，那里的动物都已经移居到其他地方了。

☐ 4) 如果海平面上升，沿海地区的人将失去居住的地方。

☐ 5) 气温一直上升会引起生态灾难。

C 配对

☐ 1) 气温上升的一个重要原因是	a) 吸收了热量，使气温不断上升。
☐ 2) 聚集在高空中的二氧化碳	b) 二氧化碳排放量的快速增加。
☐ 3) 全球气温上升会使	c) 很多沿海和低洼地区将被淹没。
☐ 4) 如果海平面上升，	d) 强降雨、高温热浪等会越来越频繁。
☐ 5) 气温变化会导致极端天气，	e) 南极和北极的冰雪融化。

D 判断正误，并说明理由

1) 现在很多人关心全球的气温问题。 对 错

______________________ ____ ____

2) 现在的夏天比以前热了，冬天也不那么冷了。

______________________ ____ ____

3) 以前的冬天非常冷，河水会结厚厚的冰，小孩子能在冰上玩。

______________________ ____ ____

E 回答问题

1) 爸爸小时候的夏天跟现在的有什么不同？

2) 造成全球变暖的重要因素是什么？

F 学习反思

你觉得应该采取什么方法控制全球变暖？

G 学习要求

学会表达一种观点，掌握三个句子、五个词语。

环境污染

随着工业的迅速发展，人类一方面创造着文明，另一方面以惊人的速度破坏着大自然的生态平衡、污染着环境。

为了保持工业的高速发展，人类疯狂地利用自然资源。过度开采石油、乱砍滥伐森林树木等行为，对地质和生态环境造成了严重的破坏，使自然灾害频频发生。

工业的快速发展还带来了各种环境污染，比如大气污染、水污染、垃圾污染、噪音污染等。大气污染主要是由工厂、机动车排出的废气造成的。这些废气严重破坏了“地球的保护伞”臭氧层，产生温室效应，使气温不断上升。水污染主要是由生活废水、工业废水以及农田里使用的化肥和农药造成的。垃圾污染是工业、商业和日常生活中丢弃的数量惊人的垃圾引起的。由于目前人们回收、利用和再造的意识和技术还不够好，垃圾对土地和水资源都造成了严重的污染。工厂、建筑工地和交通工具产生的噪音也使我们的生活失去了以往的宁静。

保护地球是每个公民的责任。我们应该赶快行动起来，加强环保意识，采取有效措施，保护人类共同的家园。

A 填空

1) 人类以 _____ 的速度破坏着大自然的生态平衡。
2) _____ 开采石油对地质环境造成了严重的破坏。
3) 工业的 _____ 发展带来了各种环境污染。
4) 废气 _____ 破坏了“地球的保护伞”臭氧层。
5) 我们的生活失去了以往的 _____。

B 判断正误

☐ 1) 为了保持工业的高速发展，人类疯狂地向自然界要资源。

☐ 2) 由于地质和生态环境遭受到严重的破坏，自然灾害时常发生。

☐ 3) 大量开采石油和天然气不会对地质环境造成破坏。

☐ 4) 工业废水和农田中用的化肥会污染水资源。

☐ 5) 垃圾多得惊人，对环境造成了严重的污染。

☐ 6) 工厂里排放出来的废气、机器发出的噪音都对环境造成了污染。

C 配对

☐ 1) 第一段	a) 工业的发展造成了各种污染。
☐ 2) 第二段	b) 工业的发展创造着文明，也带来了灾难。
☐ 3) 第三段	c) 人类应马上采取措施保护地球。
☐ 4) 第四段	d) 工业的发展对地质和生态环境造成了破坏。

D 判断正误，并说明理由

	对	错
1) 废气破坏了臭氧层，产生了温室效应。 ________________	____	____
2) 人们回收、利用垃圾的意识比较强，但技术还不够好。 ________________	____	____
3) 车辆产生的噪音也对生活环境造成了影响。 ________________	____	____

E 回答问题

1) 工业的迅速发展带来了什么影响？

2) 我们怎样做才能保护地球？

F 学习反思

作为地球公民，你可以做哪些宣传工作来保护地球？

G 学习要求

学会表达一种观点，掌握三个句子、五个词语。

9 根据实际情况回答问题

1) 你居住的城市或地区有哪些污染？哪种污染最严重？

2) 这些污染影响你的日常生活吗？请举例说明。

3) 你居住的社区有哪些不环保的现象？

4) 你们学校的环保工作做得好吗？怎样可以做得更好？

5) 在学校如果见到同学不环保的行为，你会提醒他／她吗？

6) 你每天自己带水去学校还是买瓶装水？喝完瓶装水你会回收塑料瓶吗？

7) 你的环保意识强吗？你平时在家里和学校怎样节约用电？怎样节约用水？

8) 你会浪费食物吗？去饭店吃饭如果有的菜吃不完，你会打包带回家吗？

9) 你经常乘私家车吗？你平时搭乘哪些公共交通工具？

10) 你喜欢购物吗？你是不是会买一些不必要的东西？请举例说明。

11) 你会把不用的物品或不穿的衣物捐出去吗？会捐给谁？

12) 你觉得自己在哪些方面可以更环保、更低碳？

10 成语谚语

A 成语配对

□ 1) 风和日丽	a) 清清楚楚地呈(chéng)现(xiàn)在眼前。
□ 2) 千变万化	b) 比喻做事情不能坚(jiān)持(chí)到(dào)底(dǐ)，有(yǒu)始(shǐ)无(wú)终(zhōng)。
□ 3) 古往今来	c) 形容变化无穷。
□ 4) 历历在目	d) 形容晴(qíng)朗(lǎng)暖和的天气。
□ 5) 半途而废	e) 泛(fàn)指(zhǐ)很长一段时间。

B 中英谚语同步

1) 知足者常乐。 Content is better than riches.

2) 情人眼里出西(xī)施(shī)。 Beauty exists in lover's eyes.

3) 留得青山在，不怕没柴(chái)烧。 Where there is life, there is hope.

11 用所给词语填空

A 动词配名词

计划　空气　能源　地铁　粮食　眼界　大自然　兴趣　历史　环境

1) 破坏 ______　2) 消耗 ______　3) 浪费 ______　4) 了解 ______　5) 改造 ______

6) 搭乘 ______　7) 制订 ______　8) 开阔 ______　9) 提升 ______　10) 污染 ______

B 名词配形容词

嘈杂　清新　美丽　共同　丰富　高明　健康　独特

1) ______ 的风景　2) ______ 的资料　3) ______ 的环境　4) ______ 的风土人情

5) ______ 的空气　6) ______ 的医术　7) ______ 的家园　8) ______ 的生活方式

12 写作

题目 假设你是学校环保小组的负责人，将在学校集会上发表演讲。演讲的题目是“保护环境，人人有责”。请写一篇演讲稿。

你可以写：

- 环境污染的情况
- 为什么要保护环境
- 学校不环保的现象
- 如何把环保落实到行动上

你可以用

a) 同学们的环保意识还不够强，学校里有很多不环保的现象，比如午饭后到处都是垃圾。

b) 很多同学用纸的习惯不好，只用一面写字。这样非常浪费。

c) 不能随手扔垃圾，要保持环境的干净、整洁。

d) 我们要养成垃圾分类、回收的习惯。纸张、旧电池、玻璃瓶、塑料袋等都该分类放进回收箱。

e) 我们要做到随手关灯、关空调、关风扇。这些虽然是小事，但可以节约很多能源。

f) 我们要尽量少买或不买不必要的东西。

g) 应该少用或不用一次性物品，比如木筷、塑料餐具、快餐饭盒、纸盘、纸杯等。

h) 我们还要少用或不用塑料袋，减少白色污染。

风水文化

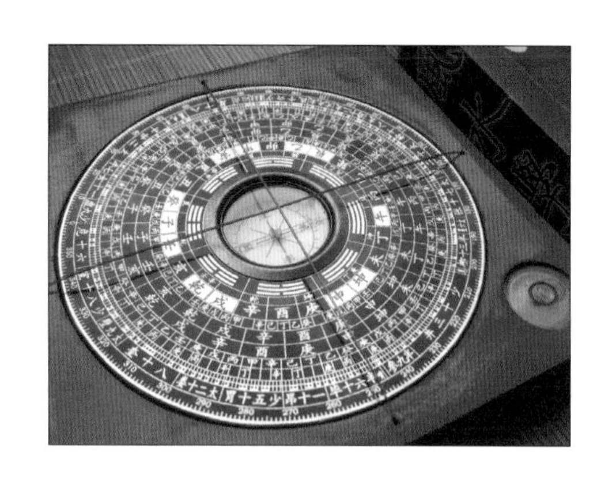

风水是一种文化现象，是认识和解释自然、环境与人类相互关系的方式。风水跟建筑学、城市规划(guī huà)学和景观(jǐngguān)学有着密切的关系。虽然风水被看作是一种迷信(mí xìn)，但是在民间一直很流行，很多人都讲究风水。不少外国的政客(zhèngkè)、商人等也相信中国的风水。

风水追求(zhuī qiú)和谐。在建筑学里经常要用到风水。人生活在天地之间，每时每刻都跟周围的环境发生关系。风水观念认为：比较好的、适合人们生活的环境能给人们带来好运、吉祥、幸福；而危险(wēi xiǎn)、不适合人们居住的地方会给人们的生活带来不便和困苦，所以很不吉利。比如，中国古人选北京作为首都就有风水的原因。按照风水的理念，无论天文还是地理，北京都是天下的中心。紫禁城的位置(wèi zhì)是北京的中心，而太和殿(tài hé diàn)的位置是紫禁城的中心。这样，帝王坐在太和殿就能居天下的正中央(zhōngyāng)，一统天下。

除了建筑学以外，风水在其他方面也扮演着重要的角色。人们买房子、租办公室、开店前经常会看看风水。房间的格局(gé jú)、家里的布置、家具的摆设(bǎi shè)很多也跟风水有关。

A 判断正误

☐ 1) 现在风水的理念在中国人的日常生活中已经不重要了。

☐ 2) 好的风水能给人们带来好运、幸福。

☐ 3) 紫禁城坐落在北京的中心，所以风水很好。

☐ 4) 家具的摆设、房间的布局都跟风水有关。

B 配对

☐ 1) 人生活在天地之间，

☐ 2) 如果环境比较好、适合生活，

☐ 3) 不适合人居住的地方，

☐ 4) 太和殿是紫禁城的中心，

☐ 5) 中国人买房子和开店以前

a) 帝王坐在太和殿就能一统天下。

b) 可以给人带来好的运气。

c) 一般要看一下风水。

d) 会给人们带来不便和困苦，也就是风水不好。

e) 无时无刻不跟周围环境发生关系。

C 判断正误，并说明理由

对 错

1) 从古到今，风水深深地扎根在民间。

______________________________ ____ ____

2) 当今社会，还是有很多人讲究风水，甚至一些外国人也相信风水。

______________________________ ____ ____

3) 风水强调人与周围环境的和谐，只用于建造房屋。

______________________________ ____ ____

D 回答问题

1) 风水跟哪些学科有密切的关系？

2) 为什么北京是风水最好的地方？

E 学习反思

你相信风水吗？在日常生活中，你用到过风水的理念吗？

F 学习要求

学会表达一种观点，掌握三个句子、五个词语。

第四单元复习

生词

第十课

单位	郊区	发愁	劣势	空气	不如
清新	居住	嘈杂	优势	远	于
弊	机构	保健	配套	剧院	博物馆
像	休闲	公立	私立	大型	优良
医疗	设备	医术	高明	优越	转学
意味着	害怕	假如	权		

第十一课

卷	里	不光	游山玩水	港口	马六甲
华人	聚居	闽南	潮州	招牌	街道
排	古色古香	家具	游客	刚	南洋
艰苦奋斗	年代	保留	张灯结彩	非凡	宗祠
教堂	酒吧	交织	美丽	道	佳肴
娘惹菜	合并	连	体现	魅力	以及
智慧	风土人情	完美	融合	加深	

第十二课

负责	救	地球	生存	制造	污染
光	飞快	改造	遭受	严重	破坏
宣传	加强	减少	二氧化碳	排放	消耗
开支	驾	搭乘	以	能源	资源
天然气	石油	尤其	粮食	物品	家园
公民	态度	经济			

短语 / 句型

• 父母新的工作单位都在郊区 • 打算全家搬到郊区去住
• 这让我很发愁 • 生活在城市是有一些劣势 • 城市的空气不如郊区的清新
• 我认为居住在城市的优势远远多于劣势，利大于弊 • 城市的公共设施比郊区的好得多
• 城市里有齐全的配套公共设施，像图书馆、剧院、博物馆等 • 享受休闲生活
• 城市里有各种公立、私立学校和补习机构 • 城市里的交通四通八达
• 医院里有优良的医疗设备和医术高明的医生 • 不难看出
• 城市的生活条件比郊区的优越得多 • 搬到郊区意味着我得转学
• 我担心可能交不到新朋友 • 假如我有决定权，一定不搬家

• 读万卷书，行万里路 • 旅游不光是游山玩水，还能让我们有所收获
• 那里的华人有的说普通话，有的说闽南话，还有的说潮州话
• 马六甲的街道上有一排排的中式建筑 • 房子里有古色古香的中式家具
• 马六甲还保留着很多中国传统的文化和习俗 • 春节期间的马六甲张灯结彩，热闹非凡
• 中式的宗祠和餐厅加上西式的教堂、咖啡馆和酒吧，交织成了一道美丽的风景线
• 连娘惹菜也是由中国菜和马来菜合并形成的
• 体现了中国文化的影响和魅力，以及华人的聪明和智慧 • 马六甲之行
• 我体验到了马来西亚独特的风土人情 • 加深了我对华人在南洋发展史的了解

• 我是学校环保小组的负责人 • 人类在生存、发展的同时制造了各种污染
• 人类飞快地改造着大自然 • 我们的生存环境遭受到了严重的破坏
• 我们要宣传环保的重要性 • 加强环保意识 • 过低碳生活
• 低碳生活就是要减少二氧化碳的排放 • 以低能量、低消耗和低开支的方式生活
• 怎么样才是过低碳生活呢 • 少驾车，多搭乘公共交通工具，以减少对空气的污染
• 不买或少买不必要的物品 • 地球是我们共同的家园 • 保护地球是每个公民的责任
• 低碳是一种生活态度，是一种经济、健康的生活方式
• 让我们大家行动起来 • 从我做起，从现在做起

生词

1. 本 běn one's (own)
2. 广播 guǎng bō broadcast
3. 圣（聖）诞（誕）节 shèng dàn jié Christmas (Day)
4. 异（異）yì different 异同 yì tóng differences and similarities

   今天我们请张德老师来讲一讲春节与圣诞节的异同。

5. 商 shāng quotient 智商 zhì shāng IQ (intelligence quotient)
6. 指 zhǐ mean
7. 敏 mǐn quick 敏感 mǐn gǎn sensitive
8. 度 dù extent 敏感度 mǐn gǎn dù sensitivity

   文化智商是指人们对不同文化的敏感度。

9. 高低 gāo dī level
10. 直接 zhí jiē direct

    文化智商的高低直接影响人与人之间的相处。

11. 桃树 táo shù peach (tree)
12. 表达 biǎo dá express
13. 好运 hǎo yùn good luck
14. 愿望 yuànwàng wish

    桃树表达新年里行好运的愿望。

15. 装 zhuāng decorate 装饰 zhuāng shì decorate
16. 圣诞树 shèng dàn shù Christmas tree
17. 恩 ēn kindness; favour 感恩 gǎn ēn feel grateful
18. 基督 jī dū Christ 基督教 jī dū jiào Christianity
19. 财（財）cái wealth
20. 神 shén god 财神 cái shén god of wealth
21. 贺（賀）hè congratulate
22. 卡 kǎ card 贺卡 hè kǎ greeting card
23. 盼 pàn long for 盼望 pànwàng long for
24. 到来 dào lái arrival

    过圣诞节人们互相送礼物和贺卡，盼望圣诞老人的到来。

25. 喜庆 xǐ qìng joyous
26. 吉 jí lucky 吉利 jí lì lucky
27. 平安 píng ān safe and sound
28. 驱（驅）qū drive out
29. 邪 xié disasters that evil spirits bring
    驱邪 qū xié drive out evil spirits

    春节期间的庆祝活动主要是为了求吉利、保平安、驱邪。

30. 浪漫 làngmàn romantic

    圣诞节不仅是一个团圆的节日，还是一个浪漫的节日。

31. 满 mǎn full 充满 chōngmǎn be full of

    人们心中充满了感恩与希望。

1 完成句子

1) 今天我们请张德老师来讲一讲春节与圣诞节的异同。

今天我们请 ____ 来讲一讲 ____。

2) 请您给我们讲一讲春节与圣诞节的相同和不同之处。

____ 的相同和不同之处。

3) 节前人们都会做很多准备。

____ 做很多准备。

4) 圣诞节不仅是一个团圆的节日，还是一个浪漫的节日。

____ 不仅 ____，还 ____。

5) 谢谢您为我们做介绍！

谢谢您 ____！

6) 时间到了。我们今天就谈到这里吧！

时间到了。____！

2 听课文录音，做练习

A 回答问题

1) 李颜是以什么身份采访张老师的？

2) 这次采访的主题是什么？

3) 春节前，中国人会做哪些准备？

B 选择（答案不只一个）

1) 文化智商 ____。

a) 指的是人们对不同文化的敏感度

b) 直接影响到人与人之间的相处

c) 高的人不能理解中西方文化的异同

2) 春节 ____。

a) 是与家人团聚的节日

b) 是中国的新年

c) 的活动是为了求吉利、保平安、驱邪

3) 圣诞节 ____。

a) 是基督教的传统节日

b) 人们互送礼物、贺卡

c) 是浪漫的节日，跟情人节一样

课文 

访张德老师

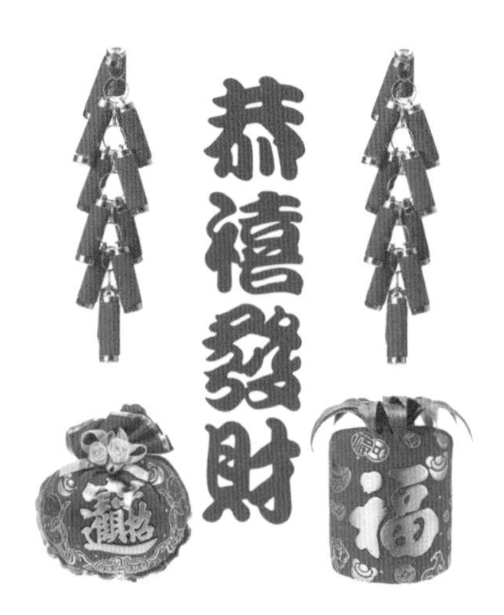

李　颜： 我是本(běn)校广播(guǎngbō)站的记者李颜。今天我们请张德老师来讲一讲春节与圣诞节(shèng dàn jié)的异同(yì tóng)。张老师，您好！我们都知道文化智商(zhìshāng)是指(zhǐ)人们对不同文化的敏感度(mǐn gǎn dù)。文化智商的高低(gāo dī)直接(zhí jiē)影响人与人之间的相处。为了更好地了解中西方文化，请您给我们讲一讲春节与圣诞节的相同和不同之处。

张老师： 好的。春节和圣诞节都在冬天，都是与家人团聚的节日，节前人们都会做很多准备。春节前人们会大扫除，南方一些地方的人还会买桃树(táo shù)。桃树表达(biǎo dá)新年里行好运(hǎo yùn)的愿望(yuànwàng)。圣诞节前人们会买礼物，还会装饰圣诞树(zhuāng shì shèng dàn shù)。圣诞树代表感恩(gǎn ēn)和希望。

李　颜： 那这两个节日有什么不同之处呢？

张老师： 首先，春节是中国人的新年。圣诞节是基督教(jī dū jiào)的传统节日。第二，过春节人们一起吃年夜饭、给亲戚拜年、给孩子压岁钱、迎财神(cái shén)求好运。过圣诞节人们互相送礼物和贺卡(hè kǎ)，盼望(pàn wàng)圣诞老人的到来(dào lái)。第三，春节是一个喜庆(xǐ qìng)、团圆的节日。春节期间的庆祝活动主要是为了求吉利(jí lì)、保平安(píng ān)、驱邪(qū xié)。圣诞节不仅是一个团圆的节日，还是一个浪漫(làngmàn)的节日。人们心中充满(chōngmǎn)了感恩与希望。

李　颜： 谢谢您为我们做介绍！时间到了。我们今天就谈到这里吧！

3 用所给结构及词语写句子

1) 春节期间的庆祝活动主要是为了求吉利、保平安、驱邪。 → 主要　保护
2) 文化智商是指人们对不同文化的敏感度。 → 指　低碳生活
3) 文化智商的高低直接影响人与人之间的相处。 → 高低　理解
4) 桃树表达新年里行好运的愿望。 → 表达　希望
5) 我是本校广播站的记者李颜。今天我们请张德老师来讲一讲春节与圣诞节的异同。 → 本　环保

4 角色扮演

情景 你是中国人，你的同学是美国人。你们各自介绍本国的传统节日。

例子：

你： 我父母是中国人，我们庆祝中国的传统节日，比如春节、元宵节、清明节、端午节、中秋节、重阳节等。

同学： 我的爸爸妈妈都是美国人。我们家庆祝圣诞节，还有复活节、万圣节、感恩节等。中国人哪天过春节？

你： 春节是中国人的新年。农历正月初一过春节，一般在公历一月底或者二月初。

同学： 过春节你们一般吃哪些传统食品？

你： 每年春节我们都吃鱼，还有年糕。吃鱼是希望"年年有余"，吃年糕是希望"年年高升"。

同学： 春节期间都有哪些庆祝活动？

你： 有舞龙、舞狮等庆祝活动。我们还会放烟花、爆竹。可热闹了！

……

你可以用

a) 元宵节在农历正月十五。这一天人们吃元宵、猜灯谜。

b) 端午节每家每户都会吃粽子、看龙舟比赛。

c) 中秋节那天的月亮又圆又亮。家家户户都一边赏月一边吃月饼。

d) 重阳节在农历九月初九。这天人们会登高望远。现在这一天也是中国的老人节。

e) 在美国过感恩节十分热闹。亲朋好友会聚在一起吃火鸡、火腿等传统食品。

f) 复活节也是基督教的传统节日。复活节在四月的前后。节日期间人们会外出旅游。

g) 孩子们最喜欢万圣节了，因为他们可以要到很多糖果。

5 小组讨论

要求 小组讨论中国的春节跟你们国家最重要的节日有什么异同。

例子：

同学 1：我是中国人。在中国人心中，春节是最重要的节日。春节也叫农历新年，一般在一月底或二月初。

同学 2：我是英国人。对英国人来说，圣诞节是最重要的节日。圣诞节是基督教的传统节日，在每年的十二月二十五日。

同学 3：我是印度人。排灯节是印度人最重要的节日。排灯节象征着光明和幸福，一般在十一月前后。

同学 1：春节是与家人团聚的节日。春节期间的庆祝活动主要是为了求吉利、保平安、驱邪。

同学 2：圣诞节也是一个与家人团圆的节日。过圣诞节时，人们心中充满了感恩和希望。

同学 3：灯在印度文化中代表着光明和希望。排灯节期间的晚上，烟花和各种灯光、蜡烛会照亮夜空。我们认为这样可以驱邪。

同学 1：看来，春节和圣诞节、排灯节都有一些相同之处。春节和圣诞节都是团圆的节日。春节和排灯节的庆祝活动都有驱邪的目的。

……

你可以用

a) 中国人很重视家庭。过春节时一定要一家人团聚在一起，迎接新年的到来。

b) 春节前，家家户户都为过年做准备。人们把屋子打扫得干干净净的，还在门前、客厅里挂上红灯笼，在门上贴上春联，在桌子上摆上开心果、糖果等零食。

c) 春节前，人们会逛花市买年花。很多人都喜欢买百合花、盆橘(pén jú)和桃花。这些花表示花开富贵的意思，十分吉利、喜庆。

d) 中国人有吃年夜饭的习俗。年夜饭一般吃饺子、鱼、年糕、汤圆、春卷等。午夜十二点一到，人们就放烟花、爆竹，庆祝新年的到来。

e) 年初一，人们会穿着新衣服给亲戚朋友拜年，互相祝福。

f) 春节的庆祝活动多种多样，有舞龙、舞狮等。

6 阅读理解

北京庙会

miào huì

在北京过年，逛庙会是很有特色的民俗活动。大家一定不能错过。

今年的地坛庙会将突出传统文化特色，推出的活动包括仿清祭地表演、民间花卉展、综艺舞台演出、图片展览、文化创意和科技互动体验、爱心公益活动。庙会上还有各类传统小吃。游客们可以逛庙会、赏民俗、看表演、品小吃。

龙潭庙会除了保持往年的传统特色外，还将增加大量文体互动活动，有棋类比赛、杂技表演、太极表演，以及冰雪嘉年华活动。当然，龙潭庙会上也少不了美食和传统小吃供游客们品尝。

北京大观园庙会将继续展现精美的红楼文化。春节期间，大舞台将有传统的戏曲演出，而小舞台将上演木偶剧、杂技等精彩节目，绝对让老人和小朋友都过足瘾。展示区将展示版画、脸谱、皮影、剪纸等传统艺术品。此外，大观园庙会上还有各种风味小吃，绝不会让您空着肚子观赏节目的。

(fǎngqīng jì dì 仿清祭地; zōng yì 综艺; tú piàn zhǎn lǎn 图片展览; chuàngyì 创意; lóng tán 龙潭; jiā nián huá 嘉年华; zhǎn xiàn jīng měi 展现精美; mù ǒu 木偶; zhǎn shì bǎn huà 展示版画; liǎn pǔ 脸谱; pí yǐng 皮影)

A 选择（答案不只一个）

1) 在地坛庙会上，游客可以 ____。
   a) 观赏花展　　b) 参与公益活动
   c) 参加竞技比赛
2) 在龙潭庙会上，游客可以 ____。
   a) 参与文化娱乐和体育活动
   b) 观看杂技和太极表演
   c) 吃到不少美食
3) 在北京大观园庙会上，____。
   a) 游客能观看多种舞台剧表演
   b) 小朋友能画京剧脸谱
   c) 剪纸展览能让游客一饱眼福

B 回答问题

1) 在北京过年一定不能错过什么民俗活动？
2) 地坛庙会、龙潭庙会和大观园庙会的共同点是什么？

C 学习反思

1) 你对哪个庙会最感兴趣？为什么？
2) 在你们国家过节有类似的活动吗？

7 阅读理解

圣诞节

在西方，一年中最重要的节日要数圣诞节了。圣诞节最初是一个宗教(zōngjiào)节日，如今宗教色彩已经淡化(dàn huà)了。

提起圣诞节，很多孩子都会想起那位穿着红衣服、留着白胡子、挨家挨户送礼物的圣诞老人。关于圣诞老人的由来，有几种说法。其中一种说法是圣诞老人的原型(yuánxíng)是圣(shèng)·尼古拉斯(ní gǔ lā sī)，生活在公元四世纪的小亚细亚(xiǎo yà xì yà)地区。尼古拉斯是一位神父(shén fù)。他性格善良，乐于助人，做过很多慈善工作，帮助了很多穷人。

为了迎接圣诞节的到来，人们会将街道两旁的建筑物装饰得漂漂亮亮的。各家商店都会在橱窗(chúchuāng)设计上费尽心思(fèi jìn xīn si)。到处都可以听到圣诞音乐，让人觉得轻松、愉快。几乎每家每户都会买圣诞树。人们会在圣诞树上挂各种装饰物。如今，寄圣诞卡的人少了，人们大多通过网络、手机互相传递(chuán dì)圣诞祝福，但是依然(yī rán)有不少孩子给圣诞老人写信，希望得到特别的圣诞礼物。

圣诞节一早，一家人会互相祝福，迫不及待地打开各自的圣诞礼物。礼物总能给人们带来意想不到的惊喜和快乐。圣诞节的午餐非常丰富，会有火鸡、馅儿饼、布丁、土豆泥等。

A 填动词

1) 圣诞老人挨家挨户 ＿＿＿ 礼物。

2) 为了 ＿＿＿ 圣诞节的到来，人们会将街道两旁的建筑物装饰得漂漂亮亮的。

3) 几乎每家每户都会 ＿＿＿ 圣诞树。

4) 人们会在圣诞树上 ＿＿＿ 各种装饰物。

5) 如今，＿＿＿ 圣诞卡的人少了。

6) 人们大多通过网络、手机互相 ＿＿＿ 圣诞祝福。

B 选择

1）“要数”的意思是______。

a）只有　b）不仅

c）要算

2）“费尽心思”的意思是______。

a）想了很多办法　b）没想出办法

c）想不出办法

C 配对

☐	1）第一段	a）迎接圣诞节所做的准备。
☐	2）第二段	b）圣诞节当天的活动。
☐	3）第三段	c）圣诞节的简单介绍。
☐	4）第四段	d）圣诞老人的由来。

D 判断正误

☐ 1）圣诞老人就是圣·尼古拉斯。

☐ 2）各个商家都想尽办法把圣诞橱窗布置得漂漂亮亮的。

☐ 3）听着圣诞音乐，人们会感到十分欢快。

☐ 4）现在人们可以通过互联网表达对亲朋好友的圣诞祝福。

☐ 5）圣诞礼物让人们心中充满了喜悦和快乐。

E 判断正误，并说明理由

	对	错
1）圣·尼古拉斯是一位热心做慈善工作的神父。		
______________________________	____	____
2）家家户户的圣诞树上都挂着各种装饰物。		
______________________________	____	____

F 回答问题

1）为什么现在寄圣诞卡的人少了？

2）是否还有孩子相信世界上真的有圣诞老人？

G 查一查

火鸡、馅儿饼、布丁、土豆泥等圣诞节的传统食物有什么特殊的意义？

H 学习要求

学会表达一种观点，掌握三个句子、五个词语。

“年”的传说

相传在中国古代，有一只十分凶猛的怪兽叫“年”。“年”一般深居海底，但是每年的除夕夜都会上岸伤害百姓，吞食牲畜。每到除夕，村民们都会收拾行装，锁好门窗，拖儿带女，牵着牛羊进大山躲避灾难。

有一年的年三十，一位乞讨的老人来到了村里的一位老婆婆家。婆婆劝他赶快进大山躲一躲。乞讨的老人却坚持留下，要把怪兽赶走。晚上，“年”又来到了村寨。它一进村寨就听到了爆炸声，看到了红色的火光和贴在门窗上的红纸。“年”吓得浑身发抖，转身逃跑了。原来“年”最怕响声、火光和红色。

第二天早上，也就是正月初一。村民看到村子安然无恙，非常吃惊。老婆婆把乞讨老人赶走“年”的事告诉了大家。村民们听后纷纷穿上新衣服，欢天喜地地跟左邻右舍道喜问好、相互祝贺。

这个传统就这样流传了下来。每年新年到来时，家家户户都灯火通明，在门两旁贴上红色的春联，燃放烟花、爆竹。这就是中国民间传统的过年习俗。

A 判断正误

☐ 1)“年”是一只凶猛的怪兽，每年都伤害村民，吞食牲畜。

☐ 2)“年”看到红屋子和火光，吓得跑回了海里。

☐ 3)“年”逃走之后，村民们赶做新衣服去参加庆祝活动。

☐ 4) 年初一早上，村民们看到村子没被破坏，非常高兴。

☐ 5) 婆婆知道是那位乞讨的老人赶走了“年”。

B 配对

☐ 1) 每年的除夕夜，村民们	a) 一个要饭的老伯来到了村里。
☐ 2) 有一年的除夕夜，	b) 看到村子还是好好的，感到很惊讶。
☐ 3) 婆婆劝要饭的老伯离开村子，	c) 都带着一家老小和家畜进大山避难。
☐ 4) 第二天是年初一，村民们	d) 村民们互相道喜、庆贺。
☐ 5) 听了乞讨老人赶走“年”的事，	e) 但是老伯没听婆婆的劝告。

C 判断正误，并说明理由

	对	错
1) 每年大年三十的晚上“年”都会上岸。		
________________	____	____
2) 村民们来不及锁门就逃进山里避难去了。		
________________	____	____
3) 讨饭的老人没有进大山躲避灾难。		
________________	____	____

D 回答问题

1) 中国古代真有“年”这种怪兽吗？

2) 中国过年的传统习俗是怎么来的？

E 学习反思

你们国家有没有跟节日有关的传说？请介绍一下。

F 学习要求

学会表达一种观点，掌握三个句子、五个词语。

9 根据实际情况回答问题

1) 在你们国家最重要的节日是什么？这个节日在什么时候？
2) 这个节日跟历史人物有关系吗？跟传说有关系吗？请介绍一下。
3) 你们家一般在哪儿过这个节日？去年是在哪儿过的？
4) 节日前，你们要做哪些准备？为什么？
5) 节日当天，你们要穿什么传统服装？大人的传统服装什么样？孩子的呢？
6) 节日当天，你们会吃大餐吗？会吃哪些食物？为什么？
7) 除了吃大餐，你们还有哪些庆祝活动？这些庆祝活动有什么特殊的意义？
8) 你们的传统节日与中国的春节有什么异同？
9) 除了春节，你还了解哪些中国的传统节日？
10) 你对不同的文化敏感吗？请举例说明。
11) 你与来自其他国家的同学相处得怎么样？在哪些方面你要特别注意？
12) 你认为怎样做可以提高文化智商？

10 成语谚语

A 成语配对

☐ 1) 物极必反
☐ 2) 不约而同
☐ 3) 勤学好问
☐ 4) 全力以赴(fù)
☐ 5) 优胜劣汰(liè tài)

a) 勤奋学习，不懂就问。比喻善于学习。
b) 事物发展到极点，会向相反方向转化。
c) 事先没有约定，意见或行为却相同。
d) 把全部力量都投入(tóu rù)进去。
e) 指生物在生存竞争中适应力强的保存下来，适应力差的被淘汰(táo tài)。

B 中英谚语同步

1) 贪(tān)小便宜吃大亏(kuī)。 Penny wise, pound foolish.
2) 拿了手短，吃了嘴软。 Gifts blind the eyes.
3) 病从口入，祸(huò)从口出。 A close mouth catches no flies.

11 完成句子

1) 文化智商是指人们 ____。

2) 文化智商的高低直接影响 ____。

3) 春节和圣诞节都在冬天，都是 ____。

4) 桃树表达 ____。

5) 过圣诞节人们互相送礼物和贺卡，____。

6) 春节期间的庆祝活动主要是为了 ____。

12 写作

题目 你们学校刚刚举办了一年一度的文化节。假设你是校报记者，采访参与组织文化节的学生会主席，写一篇采访稿。

你可以写：

- 文化节的时间和地点
- 文化节的活动
- 文化节的目的及意义

你可以用

a) 文化节的活动丰富多彩，有摄影比赛、烹饪（pēng rèn）比赛，还有各种歌舞表演。中国民族舞、西班牙弗拉明哥（fú lā míng gē）、印度舞、韩国扇舞等表演吸引了很多人。

b) 同学们还可以尝试画国画、剪纸、穿日本和服、体验日本茶道（chá dào）等等。大家对这些活动表现出了极大的兴趣。

c) 除了这些活动，同学们还可以在学校礼堂品尝各国美食。那里有中国、日本、韩国、印度、菲律宾（fēi lǜ bīn）、马来西亚、意大利等国家的美食。

d) 这次活动的目的是让同学们了解、感受、欣赏各种文化的传统习俗，增长文化知识，扩大国际视野。更重要的是提高同学对不同文化的敏感度，以便将来更好地跟来自不同国家的同学相处。

中国的婚俗(hūn sú)

中国的婚俗是中国传统文化的一个重要组成部分。中国人结婚有很多讲究。

首先，中国人结婚喜欢用红色，如贴红双喜字“囍(xǐ)”、给新娘(xīn niáng)遮上红盖头(hóng gài tou)、让新娘穿上大红袄(dà hóng ǎo)等。红色不但给婚礼带来喜庆的气氛，而且表达了新婚夫妇婚后的日子红红火火的希望。

其次，中国人结婚典礼(diǎn lǐ)的装饰都体现着吉祥的寓意(yù yì)。新房的床上要有龙凤枕头(zhěn tou)和龙凤被(bèi)。龙和凤都是吉祥的象征(xiàngzhēng)，代表高贵(gāo guì)以及夫妻和谐美满。新房的门外要贴红双喜字，有的门外还要贴结婚对联。婚宴的场地也会贴上龙凤图案(tú àn)和红双喜字。双喜代表喜事加倍(xǐ shì jiā bèi)、不同一般的喜庆，也表达给新人带来好运和幸福生活的希望。接新娘的花车一般用丝带(sī dài)或鲜花装饰。结婚典礼上也有很多鲜花。中国人喜欢用牡丹(mǔ dan)花、兰花(lán huā)等来作装饰。它们分别代表富贵和爱情。

婚宴上会有很多活动，比如新郎(xīn láng)、新娘要喝交杯酒，要向在座的亲朋好友敬酒，有的还要讲他们当初恋爱的故事等。中国人赠予(zèng yǔ)新人的祝贺语通常有“白头偕(xié)老”“夫妻恩爱(fū qī ēn ài)”等。

A 选择

1) “日子红红火火的”的意思是生活 ____。

a) 并不美满　b) 十分艰苦　c) 十分幸福

2) “白头偕老”的意思是夫妻 ____。

a) 共同生活到老　b) 两个人都老了　c) 两个人的头发都白了

B 配对

☐ 1) 中国人认为红色很喜庆，	a) 夫妻恩爱、白头到老。
☐ 2) 婚礼的装饰物很有讲究，	b) “囍”字，有时候还贴结婚对联。
☐ 3) 新房的门上一般会贴	c) 红双喜字和龙凤图案都有吉祥的寓意。
☐ 4) 新郎、新娘可能会在婚宴上	d) 还可以表达新人婚后生活红火的希望。
☐ 5) 亲朋好友祝愿新人	e) 讲一讲他们谈恋爱的经过。

C 判断正误，并说明理由

对　错

1) 在中国的婚礼仪式上，新娘盖着红盖头，穿着大红袄，现场贴着红双喜字。

______________________　____　____

2) 婚礼上用的鲜花代表富贵与爱情。

______________________　____　____

3) 在婚宴上，新郎和新娘要喝交杯酒，还要向各位来宾敬酒。

______________________　____　____

D 回答问题

1) 为什么新房的床上要有龙凤枕头和龙凤被？

2) 为什么新房的门上要贴红双喜字？

E 学习反思

中国的婚俗跟你们国家的有什么区别？请介绍一下。

F 学习要求

学会表达一种观点，掌握三个句子、五个词语。

 中餐的餐桌礼仪

生词 

① 俗(sú) popular 俗语(sú yǔ) popular saying
② 作为(zuò wéi) regard as ③ 大事(dà shì) major event

"民以食为天"是中国的一句俗语，意思是人们把饮食作为日常生活中的头等大事。

④ 遵(zūn) abide by ⑤ 守(shǒu) abide by 遵守(zūnshǒu) abide by
⑥ 仪（儀）(yí) ceremony; protocol 礼仪(lǐ yí) protocol
⑦ 主人(zhǔ rén) host ⑧ 门口(ménkǒu) entrance
⑨ 央(yāng) centre 中央(zhōngyāng) centre; middle
⑩ 座(zuò) seat 座位(zuò wèi) seat 上座(shàng zuò) seat of honour
⑪ 背(bèi) back ⑫ 下(xià) inferior

离门最近、背对着门的座位是下座。

⑬ 长者(zhǎng zhě) senior ⑭ 入(rù) enter 入座(rù zuò) take one's seat

如果有长者一起吃饭，要请长者先入座。

⑮ 客人(kè rén) guest; visitor ⑯ 动(dòng) use
⑰ 筷(kuài) chopsticks 筷子(kuài zi) chopsticks
⑱ 闭（閉）(bì) close ⑲ 嚼(jiáo) chew
⑳ 发出(fā chū) produce (a sound) ㉑ 声响(shēngxiǎng) sound; noise

要闭着嘴嚼食物，不可以发出声响。

㉒ 交谈(jiāo tán) talk ㉓ 竖（豎）(shù) vertical ㉔ 插(chā) insert

不要把筷子竖着插在食物上。

㉕ 祭(jì) hold a memorial ceremony for
㉖ 奠(diàn) make offerings to the spirits of the dead
祭奠(jì diàn) hold a memorial ceremony for

㉗ 死(sǐ) die
㉘ 避(bì) prevent 避免(bì miǎn) avoid ㉙ 碰(pèng) touch
㉚ 饭碗(fàn wǎn) rice bowl
㉛ 显（顯）(xiǎn) obvious
显得(xiǎn de) seem 那样会显得不礼貌。
㉜ 夹(jiā) clamp ㉝ 公筷(gōngkuài) chopsticks for serving food
㉞ 抽空(chōukòng) manage to find time

要抽空跟旁边的人聊聊天儿。

㉟ 粒(lì) a measure word (used for granular objects)
㊱ 光(guāng) nothing left

要吃光碗中的每一粒饭。

㊲ 敬(jìng) offer politely
㊳ 站(zhàn) stand
㊴ 酒杯(jiǔ bēi) wine cup; wine glass
㊵ 隔(gé) at a distance
㊶ 他人(tā rén) another person; other people

不要隔着他人敬酒。

㊷ 倒(dào) pour
㊸ 浅（淺）(qiǎn) shallow

倒茶要浅，倒酒要满。

㊹ 则(zé) regulation 规则(guī zé) regulation

1 完成句子

1) 人们把饮食作为日常生活中的头等大事。

_____ 把 _____ 作为 _____。

2) 如果有长者一起吃饭，要请长者先入座。

如果 _____，要 _____。

3) 最好不要一边吃一边与别人交谈。

最好 _____。

4) 不要把筷子竖着插在食物上。

不要 _____。

5) 这种插法只有祭奠死者时才用。

_____ 只有 _____ 才 _____。

6) 那样会显得不礼貌。

_____ 显得 _____。

2 听课文录音，做练习

A 回答问题

1) 关于饮食，中国有句什么俗语？

2) 什么是中国人日常生活中的头等大事？

3) 这篇文章的主题是什么？

B 选择（答案不只一个）

1) 入座时，_____。

a) 主人坐在离门最远的正中央的座位

b) 买单的人坐在离门最近的座位

c) 长辈一般最后才坐下

d) 如果有爷爷、奶奶，先请他们入座

2) 进餐时，_____。

a) 要让孩子先吃

b) 要闭着嘴吃，不能发出声响

c) 给别人敬酒，要从长辈开始敬

d) 给别人敬茶，要把茶杯倒满

3) 吃饭时，_____。

a) 要慢慢地吃

b) 不可以把筷子竖着插在食物上

c) 要避免饭碗跟筷子碰撞发出声响

d) 不能给别人夹菜

课文 

中餐的餐桌礼仪(lǐ yí)

"民以食为天"是中国的一句俗语(sú yǔ)，意思是人们把饮食作为(zuò wéi)日常生活中的头等大事(dà shì)。中国人吃饭时要遵守(zūnshǒu)哪些餐桌礼仪呢？

第一，主人(zhǔ rén)要坐在离门口(mén kǒu)最远的正中央(zhōngyāng)的座位(zuò wèi)。那里是上座(shàngzuò)，也叫主座。坐上座的人一般是买单的人。上座的右边是二号位，左边是三号位。离门最近、背(bèi)对着门的座位是下(xià)座。如果有长者(zhǎngzhě)一起吃饭，要请长者先入座(rù zuò)。

第二，进餐时，要请长者、客人(kè rén)先动筷子(dòngkuài zi)。要闭(bì)着嘴嚼(jiáo)食物，不可以发(fā)出声响(chūshēngxiǎng)。最好不要一边吃一边与别人交谈(jiāo tán)。

第三，不要把筷子竖(shù)着插(chā)在食物上。这种插法只有祭奠死(jì diàn sǐ)者时才用。要避免(bì miǎn)筷子碰饭碗(pèngfànwǎn)发出声响，那样会显得(xiǎn de)不礼貌。给别人夹(jiā)菜时要用公筷(gōngkuài)。

第四，不要大口大口地吃饭，要慢慢地吃，而且要抽空(chōukòng)跟旁边的人聊聊天儿。不要浪费粮食，要吃光(guāng)碗中的每一粒(lì)饭。

第五，敬(jìng)酒时，要站(zhàn)起来，酒杯(jiǔ bēi)要比别人的低。如果有长者，要先给长者敬酒。不要同时给几个人敬酒。不要隔(gé)着他人(tā rén)敬酒。

第六，为别人倒(dào)茶、倒酒时，要记住"倒茶要浅(qiǎn)，倒酒要满(mǎn)"的礼仪规则(guī zé)。

在重视饮食的中国，这些餐桌礼仪非常重要。

3 用所给结构及词语写句子

1) 给别人夹菜时要用公筷。 → 给……庆祝生日　礼物
2) 吃饭时，要抽空跟旁边的人聊聊天儿。 → 抽空　运动
3) 敬酒时，酒杯要比别人的低。 → 比　社交网
4) 如果有长者，要先给长者敬酒。 → 如果……要……　沟通
5) 为别人倒茶时要记住“倒茶要浅”的礼仪规则。 → 为……做准备　中秋节

4 角色扮演

情景　你和妈妈商量如何给爷爷做寿。

你们的对话包括：

- 在家里还是在饭店做寿
- 请哪些客人
- 怎样安排座位
- 吃些什么

例子：

你： 下个月五号是爷爷七十岁的生日。我们怎么给爷爷做寿呢？

妈妈： 爷爷吃得比较健康，不喜欢吃大鱼大肉。另外，他也不喜欢吵闹。我们最好在家庆祝，我们可以请大伯一家和爷爷的两个老朋友一起过来。

你： 好啊。最重要的是让爷爷高兴。

……

你可以用

a) 我们可以在家里开生日派对。我来负责装饰房间。

b) 我们买一个水果蛋糕吧！爷爷最喜欢吃水果了。

c) 我们家附近新开了一家自助餐厅。那里的自助下午茶特别有名。今年的生日派对我们可以去那里换换口味。您觉得怎么样？

d) 我们可以坐在一桌一起吃饭。爷爷坐在主座。左、右两边是他的两位好朋友。我们小辈坐在下座。

5 小组讨论

要求 小组讨论中、西方文化中庆祝生日的习俗及礼仪。

例子：

同学 1：我发现中国人和西方人过生日的习俗有很大的差别，同时也有不少相同之处。

同学 2：我觉得中、西方在过生日时最大的相同之处是都有生日大餐。

同学 1：我是上海人。我每年都在外婆家过生日。外婆会做一桌丰盛的饭菜，还会煮长寿面。长寿面上有一个煎蛋、一块排骨和几片菠菜。外婆说吃菠菜是希望身体健康。

同学 2：西方人过生日吃生日蛋糕，不吃长寿面。

同学 1：现在越来越多的中国人过生日时也吃蛋糕了。在饮食方面，中、西方越来越像了。

同学 3：我是英国人。我每年过生日都会在家里开生日派对。我会请同学和朋友来家里玩。妈妈会给我们准备很多好吃的。大家会送我生日礼物。

同学 1：在生日礼物方面，中、西方送给孩子的礼物都差不多，大多是玩具之类的。给老人送礼物时，中、西方就不同了。中国人会送老人保健品、补品等，而西方人会送葡萄酒、鲜花、巧克力等。

……

你可以用

a) 在中国，六十岁以上的人过生日叫"做寿"。

b) 以前寿宴的传统食物是寿面和寿桃。面条很长，代表长寿。桃子是长寿果，也代表长寿。

c) 西方人过生日喜欢开派对。我爸爸过生日时会开生日派对，还请很多朋友和同事来我家。

d) 英国人认为真正的生活从四十岁开始，因此会非常隆重地庆祝四十岁生日。

e) 中国人收到礼物一般不当面打开，否则会显得没有礼貌。西方人则要马上打开礼物，表示喜爱和感谢。

6 阅读理解

亲爱的天明和雷雷：

我将于五月八日晚上举行十六岁的生日派对。时间是晚上七点，地点是黄金海岸酒店十楼的静园厅。我邀请你们来参加。届(jiè)时(shí)会有自助餐和化装舞会。衷(zhōng)心(xīn)期待与大家相(xiāng)聚(jù)，一起度过欢乐的时光，留下美好的记忆！

周小青

四月十日

小青：

谢谢你的邀请。人生只有一次十六岁。我一定会去参加派对的。我还可以帮你和同学们拍照、录像，留住那天的美好时光。很巧，我父母最近给我买了一部数码相机和一个长镜头，拍照效(xiào)果(guǒ)非常不错。

我们五月八日见！

张天明

四月十一日

亲爱的小青：

谢谢你邀请我参加你的生日派对。非常遗(yí)憾(hàn)，我那天不能去。我表姐从澳大利亚飞回美国，那天要在香港转机。她只在香港待一个晚上，所以我得陪陪她。实在抱(bào)歉(qiàn)，请你原(yuán)谅(liàng)。我会给你准备一份礼物，希望可以给你一个惊喜。

祝你生日快乐，玩得愉快！

钟雷

四月二十日

A 用所给结构完成句子

1) 届时会有自助餐和化装舞会。

届时 ____________。

2) 衷心期待与大家相聚，一起度过欢乐的时光。

衷心期待 ____________。

B 选择（答案不只一个）

张天明 ______。

a) 觉得十六岁生日非常重要

b) 会去参加小青的生日派对

c) 会带数码相机去拍照、录像

d) 会买一部新相机去录像

e) 的新相机不太好用

C 选择（答案不只一个）

钟雷 ______。

a) 找到了不想参加生日派对的理由

b) 的表姐五月八日会来香港

c) 要跟表姐见面

d) 会给小青准备礼物

e) 希望小青过一个快乐的生日

中西饮食文化的差异

中西饮食文化上的差异主要表现在以下几个方面。

一、饮食观念：中餐对食材和烹饪步骤(bù zhòu)极为重视。除此之外，中餐讲究食疗、进补(jìn bǔ)及养生。西餐注重食物的营养成分及营养搭配(dā pèi)，比如食物的热量、蛋白质的含量等。

二、饮食结构：中国传统饮食以五谷(gǔ)为主，加上蔬菜及少量的肉食。西餐以肉食为主，进食的蔬菜相对较少。

三、烹饪方式：中餐的烹饪技术十分发达，烹饪方法多种多样，做出的菜讲究色、香、味、形俱全。常见的中餐烹饪方法有煎、炒、炸、炖(dùn)、蒸等。西餐烹饪方法主要有烤、炸、煎、煮等。西餐中蔬菜经常做成沙拉生吃。

四、用餐方式：中国人进餐时围坐在圆桌旁，共享佳肴，还经常互相夹菜、敬酒，气氛比较热闹。西方人进餐时坐在长桌旁，进餐方式大多为自助式。

五、餐具：中餐用碗、筷子、汤匙(tāng chí)等餐具进食。西餐用盘子装食物，用刀叉即切即食。西餐喝汤时，有专门的汤碗和汤匙。

A 根据实际情况写菜名

中餐的烹饪方式及菜肴

1) 炒：________ ________

2) 炖：________ ________

3) 蒸：________ ________

西餐的烹饪方式及菜肴

1) 烤：________ ________

2) 炸：________ ________

3) 煎：________ ________

B 配对

☐ 1) 中餐对食材以及

☐ 2) 西方人比较注重食物的营养，

☐ 3) 中餐的烹饪方法主要有炒、炖等，

☐ 4) 中国人吃饭时互相夹菜、敬酒，

☐ 5) 中式餐具主要是碗和筷子，

a) 所以气氛比较热闹。

b) 而西餐的烹饪方式主要有烤、炸等。

c) 比如维生素、蛋白质的含量。

d) 而西式餐具主要是盘子和刀叉。

e) 烹饪步骤有很高的要求。

C 判断正误，并说明理由

	对	错
1) 食物对中国人来说除了能填饱肚子，还有进补和养生的作用。		
________________________________	____	____
2) 中国的传统饮食以大米、小麦、大豆等五谷为主，加上蔬菜和一些肉。		
________________________________	____	____
3) 西方人习惯吃较多肉，蔬菜吃得比较少。		
________________________________	____	____

D 回答问题

1) 文章从哪几个方面探讨了中西饮食文化的差异？

2) 在用餐方式上，中餐和西餐有哪些差异？

E 学习反思

你的国家有哪些色、香、味、形俱全的佳肴？请介绍一下。

F 学习要求

学会表达一种观点，掌握三个句子、五个词语。

8 阅读理解

一场难忘的婚礼

我表姐今年年初在上海结婚了。因为表姐夫有四分之一的法国血统，而表姐是上海人，所以他们举办了一场中西方习俗相结合的、与众不同的婚礼。

大喜的日子定在表姐和表姐夫研究生毕业典礼那天。参加婚礼的只有双方父母和在上海的亲戚，一共二十个人。婚礼分为中式和西式两个部分，毕业典礼前是中式婚礼，毕业典礼后是西式婚礼。

中式婚礼是在姨妈家举行的。在客厅里，新郎和新娘先给双方父母敬茶，感谢他们的养育之恩。在座的每个人都被他们的话感动得热泪盈眶。敬茶仪式后姨妈端出了她精心制作的中式点心请大家品尝。西式婚礼是在上海豫园的一个中式亭子里进行的。新郎和新娘的衣服也是中西结合的，新郎穿的是西装，新娘穿的是旗袍。这场婚礼的安排和在教堂里举行的婚礼一样，只是没有牧师，是新郎和新娘自己主持的婚礼。出席婚礼的嘉宾都致了辞，给这对新人送上了祝福。最后新郎、新娘为对方戴上了戒指。晚宴是在一家西餐厅举行的。晚宴的菜式十分丰富，但也不铺张浪费。

这场婚礼兼顾了两种不同的文化，又十分有意义，令我非常难忘。

A 选择

1)“与众不同”的意思是 ______。
   a) 跟大家不同　　b) 大众化
   c) 相同

2)“热泪盈眶”的意思是 ______。
   a) 激动得说不出话
   b) 流了很多眼泪
   c) 激动得眼中充满了泪水

3)“铺张浪费”的意思是 ______。
   a) 懂得节约　　b) 经常乱花钱
   c) 为了场面好看而浪费

B 配对

- ☐ 1) 第一段 | a) 婚礼的时间、参加婚礼的人及婚礼的形式。
- ☐ 2) 第二段 | b)“我”对婚礼的看法。
- ☐ 3) 第三段 | c) 表姐与众不同的婚礼的背景。
- ☐ 4) 第四段 | d) 中式婚礼和西式婚礼的过程。

C 配对

- ☐ 1) 这场婚礼考虑到了新郎和新娘 | a) 新郎和新娘交换了戒指。
- ☐ 2) 那天参加婚礼的有二十个人， | b) 不同的背景及文化习俗。
- ☐ 3) 中式婚礼上，新郎和新娘的发言 | c) 是新人的父母和亲戚。
- ☐ 4) 西式婚礼的最后， | d) 感动了在座的每个人。
- ☐ 5) 晚宴是在一家西餐厅举行的， | e) 很有意义，令人难忘。
- ☐ 6) 这场婚礼中西结合， | f) 菜式丰富，但并不浪费。

D 判断正误，并说明理由

对 错

1) 姨妈为表姐的婚礼精心准备了中式点心。

______________________________ ____ ____

2) 西式婚礼是在教堂举行的，新郎和新娘自己当婚礼的主持人。

______________________________ ____ ____

E 回答问题

1) 表姐的婚礼为什么要兼顾中西方的习俗？

2) 为什么说表姐的婚礼与众不同？

F 学习反思

1) 你们国家传统的婚礼什么样？请介绍一下。

2) 你参加过两种不同文化相结合的婚礼吗？请介绍一下。

G 学习要求

学会表达一种观点，掌握三个句子、五个词语。

9 根据实际情况回答问题

1) 你认为什么是日常生活中的头等大事？

2) 你们家的餐桌是圆的还是方的？

3) 你平时吃饭用筷子还是用刀叉？你更喜欢用哪种餐具？

4) 你平时吃饭时会剩饭吗？

5) 你们家请客人吃饭时，会让长者先动筷子 / 刀叉吗？

6) 如果小孩子比大人先吃完饭可以先离开座位吗？

7) 在你们国家的文化里，进餐时人们会互相夹菜吗？

8) 你喜欢喝茶还是咖啡？你进餐时一般喝什么饮料？

9) 你听说过"浅茶满酒"的礼仪规则吗？请解释一下它的意思。

10) 在你们国家的文化里，进餐时一般喝什么酒？进餐时人们会互相敬酒吗？

11) 在你们国家，多大年纪可以开始喝酒？

12) 在你们国家的文化里，人们如何祭奠死者？

10 成语谚语

A 成语配对

☐	1) 轻而易举	a) 形容文思敏捷(mǐn jié)，口才好。
☐	2) 出口成章	b) 形容非常轻松，毫不费力。
☐	3) 井井有条	c) 形容充分利用时间。
☐	4) 争分夺秒(zhēng fēn duó miǎo)	d) 比喻对事情了解得非常清楚。
☐	5) 了如指掌(liǎo rú zhǐ zhǎng)	e) 形容说话办事有条有理。

B 中英谚语同步

1) 欲(yù)速则(zé)不达(dá)。 More haste, less speed.

2) 入国问禁，入(rù)乡(xiāng)随(suí)俗(sú)。 Do in Rome as the Romans do.

3) 人不可貌相(mào xiàng)，海不可斗量(dǒu liáng)。 Judge not from appearances.

11 文体

介绍性文章格式

标题

- 开段引出所介绍的事物。
- 正文详细介绍事物。
- 结尾总结所介绍的事物。

12 写作

题目 请比较中餐与西餐或者与其他国家饮食习俗的异同。

你可以写：

- 餐厅的布置
- 餐具
- 食物
- 餐桌礼仪
- 用餐时的衣着

你可以用

a) 吃中餐用圆桌，而吃西餐用长桌。

b) 吃西餐时，男女主人坐在餐桌的两头。男主宾和女主宾分别坐在女主人和男主人的右边。

c) 吃中餐用筷子和碗，而吃西餐用刀、叉和盘子。

d) 吃中餐讲究热闹。人们喜欢边吃边聊，还相互夹菜、敬酒。吃西餐比较安静。每个人都专心享用自己盘子里的食物。人们一般只与左右的人交谈，不会高声谈笑。

e) 中国人在餐馆用餐时穿着可以随意一些，而西方人吃西餐要求穿着得体。

f) 中餐的上菜次序是先冷后热，也就是说先上冷盘，再上热炒。西餐的上菜次序是面包、凉菜、主菜、甜点、咖啡、水果。

g) 吃西餐时右手拿刀，左手拿叉。

祝寿

祝寿，也叫做寿、贺寿（hè shòu）、庆寿。年轻人庆祝生辰（shēngchén），只能称为过生日，不能称为做寿。只有年龄到了六十岁或六十岁以上的人庆祝生辰，才可以称为做寿。一般逢（féng）十之年做寿。六十岁和八十岁的生日庆贺仪式特别重要，称为做大寿。

中国各地都有祝寿的习俗。每逢老人的大寿之日，亲朋好友都要为老人祝寿。祝寿要吃长寿面。长寿面的面条一般都做得很长，因为“长”有“长寿”的意思。大寿这天，亲朋好友都会送礼物。礼物上都有“寿”字，表示吉祥、长寿。常见的寿礼有寿桃、寿糖、寿糕等。桃子、松树（sōng shù）、柏树（bǎi shù）、鹿（lù）、鹤（hè）、寿星等都是长寿的代表。祝寿的吉祥语有“福如东海，寿比南山”“年年有今日，岁岁有今朝”等。

给老人祝寿时，有几点要切记：礼物的数量不能是四个，因为“四”和“死”的发音很接近，中国人很忌讳（jì huì）。另外，不能送钟表，因为“钟”跟“终”是谐音（xié yīn），送终（sòngzhōng）是举行葬礼（zàng lǐ）的意思。

A 配对

□ 1) 年轻人庆祝生辰	a) 的生日特别重要，要做大寿。
□ 2) 六十岁和八十岁	b) 柏树、鹿、鹤、桃子等。
□ 3) 长寿面的面条十分长，	c) 因为“长”有“长寿”的意思。
□ 4) 表示长寿的事物有	d) 只能说过生日，不能说祝寿。
□ 5) 给老人祝寿	e) 一定不能送钟表，因为“钟”跟“终”是谐音。

B 判断正误，并说明理由

对　错

1) 老人生日当天，亲戚朋友们都会来送祝福。

______________________________ ____ ____

2) 大寿当天，人们送的礼物一般是穿的和用的。

______________________________ ____ ____

3) 来祝寿的亲朋好友会对老寿星说“福如东海，寿比南山”。

______________________________ ____ ____

4) 给老人祝寿，送礼物的数量一定不能是四个。

______________________________ ____ ____

C 回答问题

1) 祝寿有哪几个别称？

2) 老人多大岁数时做大寿？

3) 为什么做寿这天要吃长寿面？

D 学习反思

在你们国家怎样给老人祝寿？一般吃什么？送什么礼物？说什么吉利的话？有什么忌讳？

E 学习要求

学会表达一种观点，掌握三个句子、五个词语。

生词 

❶ 全球 (quán qiú) whole world 全球化 (quán qiú huà) globalization

❷ 随着 (suí zhe) along with; in pace with ❸ 国门 (guó mén) border

随着全球化的发展，各国饮食也在走出国门、走向世界。

❹ 享用 (xiǎngyòng) enjoy the use of ❺ 异国 (yì guó) foreign country

如今，在中国不仅可以享用中式美食，还可以品尝到异国佳肴。

❻ 煎鹅（鵝）肝 (jiān é gān) Seared Foie Gras

❼ 铁板烧 (tiě bǎnshāo) teppanyaki ❽ 韩（韓）国 (hán guó) Republic of Korea

❾ 石锅（鍋）拌饭 (shí guō bàn fàn) Bibimbap

❿ 元素 (yuán sù) element ⓫ 以便 (yǐ biàn) so as to

⓬ 迎合 (yíng hé) cater to

这些外国美食会融入一些中国元素，以便迎合中国人的口味。

⓭ 流动 (liú dòng) floating

饮食全球化的原因之一是人口的流动。

⓮ 移 (yí) move 移民 (yí mín) emigrant; immigrant

⓯ 料理 (liào lǐ) cuisine

大量的移民将自己国家的料理及饮食习惯带到了世界各地。

⓰ 旺 (wàng) flourishing 兴旺 (xīngwàng) flourishing

⓱ 发达 (fā dá) developed; flourishing

⓲ 业 (yè) trade 旅游业 (lǚ yóu yè) tourism ⓳ 一定 (yí dìng) certain

⓴ 程度 (chéng dù) extent; degree

㉑ 促 (cù) urge; promote 促进 (cù jìn) promote

兴旺发达的旅游业也在一定程度上促进了饮食全球化。

㉒ 互联网 (hù liánwǎng) Internet

㉓ 捷 (jié) quick 便捷 (biàn jié) fast and convenient

㉔ 讯（訊）(xùn) message 通讯 (tōngxùn) communication

㉕ 传播 (chuán bō) spread

互联网的发展及便捷的通讯使各国饮食文化迅速传播。

㉖ 餐饮 (cān yǐn) food and drink; catering ㉗ 设立 (shè lì) establish

㉘ 分 (fēn) branch ㉙ 忽 (hū) neglect 忽视 (hū shì) neglect

餐饮公司在全球设立分公司对饮食全球化产生了不可忽视的影响。

㉚ 必然 (bì rán) inevitable

㉛ 趋（趨）(qū) tend towards 趋势 (qū shì) trend

饮食全球化是未来发展的必然趋势。

㉜ 外来 (wài lái) outside; foreign

㉝ 国民 (guó mín) people of a nation

㉞ 状 (zhuàng) condition 状况 (zhuàngkuàng) state

一些外来的饮食习惯不适合国民的身体状况，带来了健康问题。

㉟ 率 (lǜ) ratio

西式快餐令很多国家的儿童肥胖率增加了。

㊱ 临（臨）(lín) face; confront 面临 (miàn lín) be faced with

㊲ 保持 (bǎo chí) keep; maintain

每个国家都面临着保持本国传统饮食文化的挑战。

1 完成句子

1) 随着全球化的发展，各国饮食也在走出国门、走向世界。

随着 ____，____。

2) 饮食全球化的原因之一是人口的流动。

____ 原因之一 ____。

3) 兴旺发达的旅游业也在一定程度上促进了饮食全球化。

____ 在一定程度上 ____。

4) 互联网的发展及便捷的通讯使各国饮食文化迅速传播。

____ 使 ____。

5) 餐饮公司在全球设立分公司对饮食全球化产生了不可忽视的影响。

____ 对 ____ 产生 ____ 影响。

6) 每个国家都面临着保持本国传统饮食文化的挑战。

____ 着 ____。

2 听课文录音，做练习

A 回答问题

1) 在中国可以品尝到哪些异国佳肴？

2) 为什么人们不出国门也能吃到世界各地的美食？

3) 饮食全球化使每个国家都面临什么样的挑战？

B 选择（答案不只一个）

1) 饮食全球化的原因是 ____。

a) 移民把自己国家的菜肴带到了其他国家

b) 互联网使各国的饮食文化传播开来

c) 很多餐饮公司都去外国开餐馆

2) 饮食全球化的好处是 ____。

a) 使食物的种类更加丰富了

b) 让人们有了更多的选择

c) 令食物的价钱便宜了很多

3) 饮食全球化 ____。

a) 是世界的发展趋势

b) 带来了一些问题

c) 对公民的身体健康不利

课文 

饮食的全球化(quán qiú huà)

随着(suí zhe)全球化的发展，各国饮食也在走出国门(guó mén)、走向世界。如今，在中国不仅可以享用(xiǎng yòng)中式美食，还可以品尝到异国(yì guó)佳肴，如法国煎鹅肝(jiān é gān)、日式铁板烧(tiě bǎn shāo)、韩国石锅拌饭(hán guó shí guō bàn fàn)等。来到中国后，这些外国美食还会融入一些中国元素(yuán sù)，以便迎合(yǐ biàn yíng hé)中国人的口味。

饮食全球化的原因之一是人口的流动(liú dòng)。大量的移民(yí mín)将自己国家的料理(liào lǐ)及饮食习惯带到了世界各地。兴旺发达(xīngwàng fā dá)的旅游业(lǚ yóu yè)也在一定程度(yí dìng chéng dù)上促进(cù jìn)了饮食全球化。第二，互联网(hù lián wǎng)的发展及便捷(biàn jié)的通讯(tōng xùn)使各国饮食文化迅速传播(chuánbō)。第三，餐饮(cān yǐn)公司为了获得更大的市场，在全球设立(shè lì)了很多分(fēn)公司。这对饮食全球化产生了不可忽视(hū shì)的影响。

饮食全球化是未来发展的必然趋势(bì rán qū shì)。所有事情都有利也有弊。一方面，饮食全球化使食物的种类更加丰富了，人们的选择更多了，还促进了各国文化的交流。另一方面，一些外来(wài lái)的饮食习惯不适合国民(guó mín)的身体状况(zhuàng kuàng)，带来了健康问题，比如西式快餐令很多国家的儿童肥胖率(lǜ)增加了。除此之外，每个国家都面临(miàn lín)着保持(bǎo chí)本国传统饮食文化的挑战。

（白云，香山大学教授）

3 用所给结构及词语写句子

1) 如今，在中国可以品尝到异国佳肴。 → 如今 互联网
2) 这些外国美食会融入一些中国元素，以便迎合中国人的口味。 → 以便 电子书包
3) 餐饮公司为了获得更大的市场，在全球设立了很多分公司。 → 为了 文化智商
4) 饮食全球化促进了各国文化的交流。 → 促进 发展
5) 西式快餐令很多国家的儿童肥胖率增加了。 → 令 提高

4 小组讨论

要求 小组讨论各自的饮食习惯。

讨论内容包括：

- 喜欢吃的美食
- 如何吃得更健康

例子：

同学 1：我喜欢吃上海菜。上海菜的特点是咸淡适中、保持原味。我觉得上海菜比较健康。

同学 2：我喜欢吃日本料理，特别是寿司和生鱼片。日本料理美味、精致。吃日本料理不但可以饱口福，而且可以饱眼福。多吃鱼对身体健康也有好处。

同学 3：我喜欢吃热狗、汉堡包等快餐。我知道经常吃快餐对身体健康不利，但是我管不住自己的嘴。父母规定（guī dìng）我一个月只能吃一次快餐。

……

你可以用

a) 我喜欢吃中式早餐。我早上一般喝粥，吃包子和鸡蛋。我认为这样的早餐比较健康。

b) 中国传统的饮食习惯是多菜少肉，豆制品吃得比较多。中国人还习惯将食物做熟了再吃。我觉得中餐比较健康。

c) 合理的饮食就是要吃营养丰富、均衡的食物。青少年应该多吃蛋白质、维生素和矿物质丰富的食物，以保证身体获得充足的能量。

d) 三低一高的饮食原则（yuán zé）是：低盐、低糖、低脂肪、高纤维。

5 小组讨论

要求 小组讨论饮食全球化产生的影响。

讨论内容包括：

- 饮食全球化的利弊
- 人们应该怎样保持本国传统的饮食文化

例子：

同学 1： 饮食全球化的好处是食物的种类更加丰富了，人们可以有更多的选择。不出国门就能吃到各种风味的美食，多好啊！

同学 2： 以前要出国才能吃到外国美食，现在确实方便多了。然而饮食全球化也带来了一些问题。比如，外来的饮食习惯可能不适合国民的身体状况。因为吃西式快餐，我们国家儿童的肥胖率增加了不少。

同学 3： 这确实是个问题。另外，外来食品的宣传工作一般都做得很好，本国的传统饮食文化会受到冲击(chōng jī)。我认为传统饮食是国家、民族文化的重要组成部分，应该要好好保护。

同学 1： 我同意。在饮食全球化的今天，保护和发展本国传统饮食文化是每个国家都面临的挑战。

同学 2： 我认为对传统食品进行改良是保护传统饮食文化的好方法。改良后的传统食品可以迎合现代人的口味，赢得青年一代的喜爱。香港的冰皮月饼就是一种改良的月饼。冰皮月饼少糖、少油，比传统月饼更健康。口味上，冰皮月饼很像冰淇淋，很受欢迎。

……

你可以用

a) 饮食全球化不仅给各国的饮食业带来了冲击，对人们的身体健康也产生了不小的影响。

b) 很多人对外国的认识都是从异国美食开始的。饮食全球化扩大了人们的文化视野，促进了各国文化的交流。

c) 很多年轻人都喜欢吃高糖、高盐、高脂肪的食物。经常吃这样的食物，年轻人很可能得现代疾病。

d) 要保持本国传统饮食，一方面应保持老传统和老味道，一方面应与时俱进，不断改进。

6 阅读理解

粤式点心单

营业时间:
10:00-16:30

价目表:
中点￥7
大点￥11
特点￥13

蒸制点心	粥、面、饭类	时蔬类
虾饺（中）	皮蛋瘦肉粥（大）	白灼（zhuó）菜心（大）
叉烧包（中）	生滚牛肉粥（大）	蚝油唐（háo yóu táng）生菜（大）
XO酱蒸凤爪（zhǎo）（中）	明火白粥（大）	蒜蓉（suànróng）空心菜（大）
蟹粉烧卖（xiè fěnshāomài）（中）	鱼片粥（大）	**甜品**
黑椒（hēi jiāo）牛仔骨（中）	鲜虾云吞（yún tūn）面（大）	莲子（lián zǐ）红豆沙（中）
九味牛百叶（大）	星洲（xīngzhōu）炒米（大）	香草（xiāngcǎo）绿豆沙（中）
酱汁蒸排骨（中）	干炒牛河（特）	生磨芝麻糊（shēng mò zhī ma hù）（中）
潮州（cháozhōu）蒸粉粿（guǒ）（大）	扬州（yángzhōu）炒饭（大）	养生核桃露（hé tao lù）（中）

A 写意思

1) 凤爪：________
2) 蟹粉：________
3) 黑椒：________
4) 云吞：________
5) 星洲：________
6) 白灼：________

B 判断正误

☐ 1) 这家饭店的点心价格都一样。
☐ 2) 点心分三种：中点、大点和特点。
☐ 3) 九味牛百叶是蒸制点心。
☐ 4) 蒸粉粿是潮州的点心。
☐ 5) 明火白粥十三块钱一份。
☐ 6) 红豆沙是一种甜品。

C 回答问题

1) 这家饭店什么时间供应点心？

2) 如果不想吃肉，可以点什么点心？

3) 如果想吃面条，可以点什么？

D 学习反思

1) 你吃过粤式点心吗？你最喜欢哪种点心？

2) 在你居住的地方能吃到粤菜吗？你喜欢那家饭店吗？为什么？

牛肉拉面早茶

边喝茶边吃点心是典型的广州早茶文化。大家可能不 _____①，在离牛肉拉面的故乡(gù xiāng)兰州(lán zhōu)不远的吴忠(wúzhōng)也有早茶文化。和广州不同，吴忠的早茶吃的是拉面。

吴忠的牛肉拉面早茶一般早上八九点就开始 _____② 了。一套牛肉拉面早茶有一碗牛肉拉面和一壶八宝茶。客人 _____③ 后，服务员会端上一大壶(hú)八宝茶，还有一个热水瓶。八宝茶以茶叶为底，加上枸杞(gǒu qǐ)、红枣(hóng zǎo)、葡萄干、苹果片等，喝起来香甜可口，味道独特。客人可以一边 _____④ 一边等拉面。吃完牛肉拉面后，服务员会把碗碟撤走(dié chè zǒu)，留下八宝茶。客人可以慢慢品茶、_____⑤，消磨(xiāo mó)时光。

和广州早茶一样，吴忠的早茶也是一种社交方式。早茶时刻，吴忠人喜欢到饭店言商、会友、与家人团聚。只要花二三十块钱就能在饭店里待一个上午，不但填饱了肚子，还 _____⑥ 了休闲时光，十分合算。

虽然吴忠的牛肉拉面早茶只有二三十年的历史，但如今牛肉拉面早茶已经 _____⑦ 吴忠古城一道独特的餐饮文化风景了。周边的小城也开始 _____⑧ 牛肉拉面早茶了。

A 选词填空

供应	知道	入座	流行
享受	成为	品茶	聊天儿

1) _____ 2) _____ 3) _____

4) _____ 5) _____ 6) _____

7) _____ 8) _____

B 判断正误

☐ 1) 吴忠离兰州不远。

☐ 2) 牛肉拉面的发源地是吴忠。

☐ 3) 广州早茶吃的是点心，而吴忠早茶吃的是牛肉拉面。

☐ 4) 在吴忠的拉面店，每天二十四小时供应早茶。

☐ 5) 八宝茶里其实没有茶，而是用枸杞、红枣、苹果片等食材泡成的。

☐ 6) 吴忠的早茶文化是最近几十年才兴起的。

C 配对

☐ 1) 八宝茶香甜可口，	a) 却已经是一道餐饮文化风景了。
☐ 2) 食客吃完拉面，服务员	b) 味道独特，很受食客的喜爱。
☐ 3) 牛肉拉面早茶是一种社交方式，	c) 人们一边吃早茶一边会友、谈生意。
☐ 4) 每位食客只需花二三十块	d) 就把碗碟拿走，只留下八宝茶。
☐ 5) 牛肉拉面早茶的历史不长，	e) 便能在饭店里待一个上午。真是合算！

D 判断正误，并说明理由

	对	错
1) 食客们吃完拉面后可以边品茶边聊天儿，享受美好时光。		
______________________________	____	____
2) 吴忠周边的小城也开始流行牛肉拉面早茶了。		
______________________________	____	____

E 回答问题

1) 广州和吴忠都有早茶文化。这两个地方的早茶有什么不同？

2) 牛肉拉面早茶包括什么？

F 学习反思

你吃过英式下午茶吗？英式下午茶跟粤式点心有什么区别？

G 学习要求

学会表达一种观点，掌握三个句子、五个词语。

8 阅读理解

新加坡的饮食文化

新加坡是名副其实的“美食天堂”。在新加坡可以吃到世界各地的佳肴，有中国菜、印度菜、马来菜、泰国(tài guó)菜、印尼菜、西餐等等。

新加坡的海南鸡饭是一道色香味俱全的海南特色菜。海南鸡饭的鸡肉鲜美嫩(nèn)滑。因为煮海南鸡饭时会放鸡油，所以米饭吃起来也香喷喷(xiāng pēn pēn)的。新加坡的另一道有名的中餐是肉骨茶。相传华人刚到南洋时不适应湿热的气候，不少人患上了风湿病。为了治风湿病，人们用当归(dāng guī)、枸杞和党参(dǎngshēn)来煮药。华人比较忌讳喝药，所以在中药里放进肉骨头一起煮。就这样煮出了香浓美味的肉骨茶。

除了中餐以外，在新加坡还可以吃到印度的美食。咖喱(gā lí)鱼头是印度人在新加坡本土自创的佳肴。这道菜最初是印度人给爱吃鱼头的华人做的，后来马来人、印度人也喜欢上了咖喱鱼头。这道菜的特点是咖喱味浓，鱼肉鲜美爽(shuǎng)口。

在新家坡的众多美食中，马来菜别具一格。最具代表性的是沙爹(shā diē)。沙爹是将腌(yān)好的牛肉、羊肉或者鸡肉串刷上沙爹酱，放在炭火(tàn huǒ)上烤制的，吃起来软嫩可口，回味无穷。马来炒饭也很独特。马来炒饭里有多种蔬菜和虾仁，不仅味道好，营养价值也很高。

A 判断正误

☐ 1) 在新加坡，能吃到印度菜。

☐ 2) 海南鸡饭很好吃，但是不太好看。

☐ 3) 肉骨茶是用肉骨头和中药一起煮制的。

☐ 4) 咖喱鱼头是一道印尼菜。

☐ 5) 沙爹吃起来软软的、嫩嫩的，很好吃。

B 选择

1)“名副其实”的意思是 ____。

a) 名称跟实际不符　b) 没有名气

c) 名称跟实际相符

2)“色香味俱全”的意思是 ____。

a) 好看、好吃，还很香

b) 好看但不好吃　c) 中看不中用

3)“别具一格”的意思是 ____。

a) 风格相同　b) 有独特的风格

c) 跟别的一样

4)“回味无穷”的意思是 ____。

a) 没有味道　b) 味道很重

c) 事后越想越觉得意义深长

C 配对

☐ 1) 海南鸡饭里放了鸡油，吃起来

☐ 2) 咖喱鱼头的特点是

☐ 3) 在新加坡众多的美食中，

☐ 4) 沙爹是把腌制好的肉

☐ 5) 马来炒饭里面有蔬菜和虾仁，

a) 刷上沙爹酱，放在火上烤制的。

b) 马来菜很有特色。

c) 咖喱味道浓厚，鱼肉鲜美爽口。

d) 不仅味道好，而且有营养。

e) 香喷喷的，味道好极了！

D 判断正误，并说明理由

	对	错
1) 很多最初来到南洋的华人得了风湿病。 ______________________________	____	____
2) 沙爹是一道典型的马来菜。 ______________________________	____	____

E 回答问题

1) 为什么新加坡有“美食天堂”的美誉？

2) 在文中介绍的佳肴中，哪道菜有养生功效？

F 学习反思

1) 你相信中国的食疗吗？为什么？

2) 你生了病会去看中医吗？你觉得中药能防病、治病吗？

G 学习要求

学会表达一种观点，掌握三个句子、五个词语。

9 根据实际情况回答问题

1) 在你居住的地方，使用互联网方便吗？请举例说明。

2) 在你居住的地方，旅游业发达吗？有哪些旅游景点？

3) 在你居住的地方，可以品尝到哪些异国佳肴？可以吃到哪些中国菜？

4) 你喜欢吃哪些外国美食？你喜欢吃哪些中国菜？

5) 你经常吃快餐吗？经常吃西式快餐还是中式快餐？为什么？

6) 你觉得哪些食物比较健康？你的饮食习惯健康吗？

7) 你觉得吃素更加环保吗？你是素食者吗？你想当素食者吗？为什么？

8) 在你居住的地方，有哪些有名的餐饮连锁店（lián suǒ diàn）？你常去那里吃饭吗？

9) 在你居住的地方，儿童肥胖率高吗？主要原因是什么？

10) 你们国家有哪些传统美食？请介绍一下。

11) 全球化产生了哪些影响？请结合你的生活举例说明。

10 成语谚语

A 成语配对

	成语		解释
☐	1) 山清水秀（xiù）	a)	形容数量极多，难以计算。
☐	2) 美不胜收	b)	形容山水秀丽，风景优美。
☐	3) 心旷（kuàng）神怡（yí）	c)	指做事认真细致（xì zhì），一点儿也不马虎。
☐	4) 数不胜数	d)	美好的东西很多，一时看不过来。
☐	5) 一丝不苟（gǒu）	e)	心境开阔，精神愉快。

B 中英谚语同步

1) 趁热打铁。 Strike while the iron is hot.

2) 温故知新。 Learn the new by restudying the old.

3) 节约时间就是延长（yán cháng）生命。 To save time is to lengthen life.

11 文体

发表在报刊上的文章格式

标题

- 作者：作者的真实姓名或笔名。
- 正文：文章的内容。
- 作者信息放在文章最后。

12 写作

题目 政府计划在你们学校附近开一家西式快餐店。请为社区报纸写一篇文章，谈谈你的观点。

以下是一些人的观点：

- 青少年喜欢吃快餐，但是快餐吃多了对健康不利。
- 西式快餐含高糖、高油、高脂肪、高热量，容易使人发胖。
- 快餐既方便又便宜，很受学生的欢迎。
- 如果学校附近有快餐店，学生买早餐会方便很多。

你可以用

a) 西式快餐连锁店的食物品质有保证，也适合青少年的口味，因此在世界各地都越来越流行。

b) 青少年正在长身体，需要合理的饮食，而快餐不能为青少年提供足够的能量和营养。

c) 学校附近没必要开快餐店。学校里有餐厅，可以为师生提供营养丰富、价钱合理的食物。

d) 如果在学校附近开快餐店，学生可以有更多的选择。

e) 西式快餐通常热量很高，容易使人发胖，还可能引起一些现代疾病。

f) 我们应该教育青少年，让他们懂得健康饮食的重要性。

面子

面子的意思是指脸或物体的外表，它的深层(shēncéng)意思是指一个人的尊严(zūn yán)或名声。

中国人非常要面子。中国人爱面子、要面子的心理特点，对他们的做事方式有很大影响。比如，中国人请客一定会准备非常丰盛(fēngshèng)的饭菜，有冷盘、热炒、甜品、水果、好酒、好茶，主人也会穿得十分体面(tǐ miàn)。这样既是对客人表示尊重，主人自己也会觉得很有面子。再如，中国人的结婚典礼往往会办得很隆重(lóng zhòng)，邀请很多亲戚、朋友到场。这样不仅喜庆、热闹，新人和新人的父母也会感觉很有面子。

因为中国人爱面子，所以在和中国人交往的时候，要特别注意给面子、留面子，不能伤了面子。比如要是知道别人孩子的学习成绩不如自己孩子的好，就不要在别人面前夸奖(kuā jiǎng)自己的孩子如何优秀，否则就是不给别人面子。

文化智商的高低直接影响人与人之间的相处。了解中国的面子文化可以让我们更好地与中国人交往、合作。

A 写意思

1) 物体：________ 4) 尊严：________

2) 外表：________ 5) 名声：________

3) 深层：________ 6) 夸奖：________

B 填动词

1) ____ 面子 4) ____ 面子

2) ____ 面子 5) ____ 面子

3) ____ 面子 6) ____ 面子

C 选择（答案不只一个）

中国人觉得 _____ 很有面子。

a) 请客吃饭时叫很多菜

b) 邀请很多人来参加婚礼

c) 请客时穿得非常体面

d) 生日会办得隆重、热闹

D 配对

☐ 1) 中国人

☐ 2) 中国人爱面子的特点

☐ 3) 在交际中，说话时要

☐ 4) 文化智商的高低直接影响

☐ 5) 如果自己的孩子考上了名牌大学，

a) 人与人之间的交往。

b) 影响到他们的做事方式。

c) 不能只顾高兴，也要注意不伤别人的面子。

d) 顾及别人的面子。

e) 觉得面子很重要。

E 判断正误，并说明理由

	对	错
1) 在跟中国人打交道时，要注意给他们留面子，不能伤了他们的面子。		
_______________	____	____
2) 如果自己孩子的成绩不好，别人总是夸他们的孩子如何优秀，就是不给面子。		
_______________	____	____

F 回答问题

1) 面子的原义是什么意思？

2) 面子的深层意思是什么？

3) 了解中国的面子文化有什么好处？

G 学习反思

1) 在什么事情上，你很要面子？

2) 你做过什么伤别人面子的事？

3) 你今后会注意给别人留面子吗？为什么？

H 学习要求

学会表达一种观点，掌握三个句子、五个词语。

第五单元复习

生词

第十三课

本	广播	圣诞节	异同	智商	指
敏感度	高低	直接	桃树	表达	好运
愿望	装饰	圣诞树	感恩	基督教	财神
贺卡	盼望	到来	喜庆	吉利	平安
驱邪	浪漫	充满			

第十四课

俗语	作为	大事	遵守	礼仪	主人
门口	中央	座位	上座	背	下
长者	入座	客人	动	筷子	闭
嚼	发出	声响	交谈	竖	插
祭奠	死	避免	碰	饭碗	显得
夹	公筷	抽空	粒	光	敬
站	酒杯	隔	他人	倒	浅
规则					

第十五课

全球化	随着	国门	享用	异国	煎鹅肝
铁板烧	韩国	石锅拌饭	元素	以便	迎合
流动	移民	料理	兴旺	发达	旅游业
一定	程度	促进	互联网	便捷	通讯
传播	餐饮	设立	分	忽视	必然
趋势	外来	国民	状况	率	面临
保持					

短语 / 句型

- 请张德老师来讲一讲春节与圣诞节的异同
- 文化智商是指人们对不同文化的敏感度 • 文化智商的高低直接影响人与人之间的相处
- 春节和圣诞节都是与家人团聚的节日 • 节前人们都会做很多准备
- 桃树表达新年里行好运的愿望 • 圣诞树代表感恩和希望
- 圣诞节是基督教的传统节日 • 给亲戚拜年 • 迎财神求好运
- 互相送礼物和贺卡 • 盼望圣诞老人的到来 • 春节是一个喜庆、团圆的节日
- 春节期间的庆祝活动主要是为了求吉利、保平安、驱邪
- 圣诞节不仅是一个团圆的节日，还是一个浪漫的节日 • 人们心中充满了感恩与希望

- “民以食为天”是中国的一句俗语 • 人们把饮食作为日常生活中的头等大事
- 中国人吃饭时要遵守哪些餐桌礼仪呢 • 主人要坐在离门口最远的正中央的座位
- 坐上座的人一般是买单的人 • 上座的右边是二号位，左边是三号位
- 离门最近、背对着门的座位是下座 • 如果有长者一起吃饭，要请长者先入座
- 要请长者、客人先动筷子 • 要闭着嘴嚼食物 • 不要把筷子竖着插在食物上
- 要避免筷子碰饭碗发出声响 • 给别人夹菜时要用公筷
- 要抽空跟旁边的人聊聊天儿 • 要吃光碗中的每一粒饭 • 敬酒时，要站起来
- 不要隔着他人敬酒 • 要记住“倒茶要浅，倒酒要满”的礼仪规则

- 随着全球化的发展 • 各国饮食也在走出国门、走向世界
- 在中国不仅可以享用中式美食，还可以品尝到异国佳肴
- 来到中国后，这些外国美食还会融入一些中国元素，以便迎合中国人的口味
- 饮食全球化的原因之一是人口的流动 • 兴旺发达的旅游业
- 在一定程度上 • 互联网的发展 • 便捷的通讯 • 为了获得更大的市场
- 饮食全球化是未来发展的必然趋势 • 所有事情都有利也有弊
- 饮食全球化使食物的种类更加丰富了 • 不适合国民的身体状况
- 西式快餐令很多国家的儿童肥胖率增加了 • 保持本国传统饮食文化 • 面临挑战

词汇表

生词	拼音	意思	课号
		A	
爱情	ài qíng	love	6
安慰	ān wèi	comfort	6
		B	
把握	bǎ wò	hold	6
败	bài	defeat	7
板	bǎn	board; plank	9
办法	bàn fǎ	way	4
保持	bǎo chí	keep; maintain	15
保健	bǎo jiàn	health care	10
保留	bǎo liú	keep; retain	11
豹	bào	leopard	7
备课	bèi kè	prepare lessons	5
背	bèi	back	14
倍	bèi	double	1
本	běn	one's (own)	13
本来	běn lái	originally; at first	1
笨	bèn	clumsy	7
笨拙	bèn zhuō	clumsy	7
笔记	bǐ jì	notes	9
必	bì	must	1
必然	bì rán	inevitable	15
必需品	bì xū pǐn	necessities	9
必要	bì yào	necessary	1
闭	bì	close	14
弊	bì	disadvantage	10
避	bì	avoid	7
避	bì	prevent	14
避免	bì miǎn	avoid	14
变化	biàn huà	change	1
便捷	biàn jié	fast and convenient	15
遍	biàn	all over	6
辩	biàn	argue	8
辩论	biàn lùn	debate	8
表达	biǎo dá	express	13
表扬	biǎo yáng	praise; commend	4
并	bìng	combine	11
博	bó	abundant	10
博物馆	bó wù guǎn	museum	10
不当	bú dàng	inappropriate	4
不胜	bú shèng	extremely	3
不光	bù guāng	not only	11
不如	bù rú	not so good as	10
		C	
材	cái	material	9
材料	cái liào	material	9
财	cái	wealth	13
财神	cái shén	god of wealth	13
采	cǎi	collect	4
采	cǎi	select; pick	9
采访	cǎi fǎng	interview	4
采用	cǎi yòng	adopt	9
参考	cān kǎo	refer to	9
参考书	cān kǎo shū	reference book	9
餐饮	cān yǐn	food and drink; catering	15
藏	cáng	store	6
嘈	cáo	noise	10
嘈杂	cáo zá	noisy	10
册	cè	pamphlet	9
测试	cè shì	test	1
插	chā	insert	14
差别	chā bié	difference	5
朝	cháo	towards	4
潮州	cháo zhōu	a city in Guangdong province	11
沉	chén	deep	4
沉迷	chén mí	indulge in	4
成熟	chéng shú	mature	2
成为	chéng wéi	become	6
成因	chéng yīn	cause of formation	4
承	chéng	continue	7
程度	chéng dù	extent; degree	15
持	chí	hold	1
充分	chōng fèn	sufficient	2
充满	chōng mǎn	be full of	13
抽	chōu	draw	4
抽空	chōu kòng	manage to find time	14
抽烟	chōu yān	smoke	4

生词	拼音	意思	课号
愁	chóu	worry	10
筹	chóu	raise	5
筹款	chóu kuǎn	raise money	5
出发	chū fā	set out	5
出现	chū xiàn	appear; emerge	6
处	chǔ	get along with	2
处理	chǔ lǐ	handle; deal with	6
础	chǔ	stone base of a pillar	1
触	chù	contact	2
传播	chuán bō	spread	15
传媒	chuán méi	media	4
祠	cí	ancestral temple	11
此	cǐ	now; here	3
此	cǐ	this	5
此致	cǐ zhì	here I wish to convey	3
此致敬礼	cǐ zhì jìng lǐ	with best wishes	3
刺	cì	stimulate	8
刺激	cì jī	stimulate	8
促	cù	urge; promote	15
促进	cù jìn	promote	15
村	cūn	village	5
存	cún	exist	12

D

生词	拼音	意思	课号
搭	dā	take	12
搭乘	dā chéng	take	12
打败	dǎ bài	defeat	7
打印	dǎ yìn	print	6
大事	dà shì	major event	14
大型	dà xíng	large-scale	10
大众	dà zhòng	the masses	4
代	dài	take the place of	3
代表	dài biǎo	represent	3
单位	dān wèi	unit (as an organization, department, division, section, etc.)	10
胆	dǎn	courage	7
胆小	dǎn xiǎo	timid	7
当地	dāng dì	local	2
当	dàng	appropriate	4
导	dǎo	lead	4
倒	dào	pour	14
到来	dào lái	arrival	13
道	dào	a measure word (used for rivers and certain long and narrow things)	11
得体	dé tǐ	appropriate	3
德	dé	moral character	5
登录	dēng lù	log in	5
地球	dì qiú	the earth	12
点	diǎn	a measure word (used for item, point)	9
电子	diàn zǐ	electron	9
奠	diàn	make offerings to the spirits of the dead	14
订	dìng	work out	9
订购	dìng gòu	order	9
动	dòng	use	14
动画片	dòng huà piàn	cartoon	7
动力	dòng lì	driving force	1
斗	dòu	fight	7
斗士	dòu shì	warrior	7
毒	dú	narcotic drugs	4
度	dù	extent	13
对于	duì yú	toward(s)	1
多样	duō yàng	diverse	9

E

生词	拼音	意思	课号
恩	ēn	kindness; favour	13
而	ér	while	3
二氧化碳	èr yǎng huà tàn	carbon dioxide	12

F

生词	拼音	意思	课号
发愁	fā chóu	worry	10
发出	fā chū	produce (a sound)	14
发达	fā dá	developed; flourishing	15
发挥	fā huī	bring into play	1
发展	fā zhǎn	develop	4
凡	fán	ordinary	11
反对	fǎn duì	oppose	1
饭碗	fàn wǎn	rice bowl	14
泛	fàn	extensive	9
方	fāng	side; party	1
方式	fāng shì	form	1
方向	fāng xiàng	orientation	1
防止	fáng zhǐ	prevent	3
放弃	fàng qì	give up	7
非凡	fēi fán	extraordinary	11
飞快	fēi kuài	very fast	12

生词	拼音	意思	课号
分	fēn	branch	15
分散	fēn sàn	distract	8
分手	fēn shǒu	break up	6
分心	fēn xīn	distract	3
氛	fēn	atmosphere	9
奋斗	fèn dòu	fight; struggle	11
风土人情	fēng tǔ rén qíng	local conditions and customs	11
风雨	fēng yǔ	hardship	1
封	fēng	a measure word	2
封	fēng	close down	8
封锁	fēng suǒ	blockade	8
否	fǒu	no; not	1
否则	fǒu zé	otherwise	1
辅	fǔ	assist	9
辅导	fǔ dǎo	coach	9
辅助	fǔ zhù	assist	9
父亲	fù qīn	father	7
负	fù	negative	4
负面	fù miàn	negative	4
负责	fù zé	be responsible	12

G

生词	拼音	意思	课号
该	gāi	(the) said	5
改造	gǎi zào	reform	12
干扰	gān rǎo	disturb	8
感恩	gǎn ēn	feel grateful	13
感激	gǎn jī	feel grateful	3
感情	gǎn qíng	feeling	6
感谢	gǎn xiè	be thankful	3
刚	gāng	just	11
港	gǎng	harbour	11
港口	gǎng kǒu	harbour	11
高低	gāo dī	level	13
高考	gāo kǎo	university entrance examination	1
高明	gāo míng	brilliant; superb	10
高手	gāo shǒu	expert	7
革	gé	change	9
革命	gé mìng	revolution	9
隔	gé	at a distance	14
个别	gè bié	individual	9
个人	gè rén	personal	1
根本	gēn běn	entirely	3
更加	gèng jiā	even more	5
公筷	gōng kuài	chopsticks for serving food	14
公立	gōng lì	public	10
公民	gōng mín	citizen	12
公映	gōng yìng	(film) released to the public	7
功夫	gōng fu	*kongfu*	7
共同	gòng tóng	together	6
构	gòu	construct	10
估	gū	estimate	9
古色古香	gǔ sè gǔ xiāng	of antique taste	11
谷	gǔ	valley	7
故事	gù shi	story	7
顾名思义	gù míng sī yì	as the term suggests	8
观	guān	view	3
观点	guān diǎn	viewpoint	3
观众	guān zhòng	audience	7
光	guāng	solely	11
光	guāng	light	12
光	guāng	nothing left	14
广播	guǎng bō	broadcast	13
广泛	guǎng fàn	wide; extensive	9
归	guī	belong to	3
归属	guī shǔ	belong to	3
规则	guī zé	regulation	14
国门	guó mén	border	15
国民	guó mín	people of a nation	15
过度	guò dù	excessive	2

H

生词	拼音	意思	课号
害	hài	feel	10
害怕	hài pà	be afraid	10
含义	hán yì	meaning	5
韩国	hán guó	Republic of Korea	15
好运	hǎo yùn	good luck	13
好客	hào kè	be hospitable	5
耗	hào	consume	12
合并	hé bìng	merge	11
合作	hé zuò	cooperate	2
贺	hè	congratulate	13
贺卡	hè kǎ	greeting card	13
忽	hū	neglect	15
忽视	hū shì	neglect	15

生词	拼音	意思	课号
互动	hù dòng	interact	8
互联网	hù lián wǎng	Internet	15
花朵	huā duǒ	flower	1
华人	huá rén	Chinese	11
画面	huà miàn	picturesque presentation	7
挥	huī	give out	1
回	huí	a measure word (used to indicate frequency of occurrence)	6
回忆	huí yì	recall	6
会	huì	gather	1
会考	huì kǎo	unified exams	1
会议	huì yì	meeting	2
慧	huì	intelligent	11
活龙活现	huó lóng huó xiàn	vivid	7

J

生词	拼音	意思	课号
机构	jī gòu	institution	10
积极	jī jí	positive	4
基	jī	foundation	1
基础	jī chǔ	foundation	1
基督	jī dū	Christ	13
基督教	jī dū jiào	Christianity	13
激	jī	(feeling) stirred or moved	3
激	jī	stimulate	4
激发	jī fā	stimulate	4
及	jí	and	4
吉	jí	lucky	13
吉利	jí lì	lucky	13
给	jǐ	provide	9
给予	jǐ yǔ	give; offer	9
记者	jì zhě	journalist	4
继承	jì chéng	inherit; carry on	7
祭	jì	hold a memorial ceremony for	14
祭奠	jì diàn	hold a memorial ceremony for	14
加倍	jiā bèi	doubly	1
加强	jiā qiáng	strengthen	12
加深	jiā shēn	deepen	11
夹	jiā	clamp	14
佳	jiā	good	6
佳肴	jiā yáo	delicacies	11
家境	jiā jìng	family financial circumstance	5
家具	jiā jù	furniture	11
家园	jiā yuán	homeland	12
家长	jiā zhǎng	parent	4
假	jiǎ	if; in case	10
假如	jiǎ rú	if; in case	10
驾	jià	drive	12
艰	jiān	difficult	11
艰苦	jiān kǔ	arduous; hard	11
艰苦奋斗	jiān kǔ fèn dòu	arduous struggle	11
煎鹅肝	jiān é gān	Seared Foie Gras	15
减少	jiǎn shǎo	reduce	12
将	jiāng	will	3
将来	jiāng lái	future	5
讲述	jiǎng shù	tell about	7
降	jiàng	fall	8
交谈	jiāo tán	talk	14
交往	jiāo wǎng	associate with	2
交织	jiāo zhī	interweave	11
郊区	jiāo qū	suburbs	10
娇气	jiāo qì	delicate	1
教授	jiāo shòu	teach	5
嚼	jiáo	chew	14
教堂	jiào táng	church	11
教育	jiào yù	educate; education	4
阶	jiē	rank	1
阶段	jiē duàn	phase	1
接触	jiē chù	come into contact with	2
接受	jiē shòu	accept	4
街道	jiē dào	street	11
结	jié	tie	11
捷	jié	quick	15
紧	jǐn	pressing	1
紧张	jǐn zhāng	nervous	1
进度	jìn dù	rate of progress	8
进行	jìn xíng	carry out	8
禁	jìn	prohibit; ban	8
禁止	jìn zhǐ	prohibit; ban	8
经	jīng	stand; withstand	1
经济	jīng jì	economical	12
经历	jīng lì	experience	2
经营	jīng yíng	operate; manage	7

生词	拼音	意思	课号
径	jìng	way	8
竞争	jìng zhēng	compete	2
敬	jìng	respect	3
敬	jìng	offer politely	14
敬礼	jìng lǐ	salute	3
酒吧	jiǔ bā	bar	11
酒杯	jiǔ bēi	wine cup; wine glass	14
救	jiù	save	12
居	jū	reside	10
居住	jū zhù	reside	10
举	jǔ	act; deed	3
举止	jǔ zhǐ	manner	3
剧院	jù yuàn	theatre	10
聚居	jù jū	live in a region (as a compact group)	11
捐	juān	donate	5
捐款	juān kuǎn	donate	5
卷	juàn	volume	11

K

生词	拼音	意思	课号
卡	kǎ	card	13
开阔	kāi kuò	widen	5
开支	kāi zhī	expenses	12
看	kàn	consider	3
看不起	kàn bu qǐ	look down upon	7
看法	kàn fǎ	view	3
看来	kàn lái	seem	6
抗	kàng	resist	1
考	kǎo	verify	2
考虑	kǎo lǜ	consider	2
克	kè	overcome	7
克服	kè fú	overcome	7
客人	kè rén	guest; visitor	14
课余	kè yú	after school	6
恳	kěn	sincerely	2
恳求	kěn qiú	beg sincerely	2
空间	kōng jiān	space	3
空气	kōng qì	air	10
枯	kū	uninteresting	8
枯燥	kū zào	uninteresting	8
苦恼	kǔ nǎo	distressed	6
筷	kuài	chopsticks	14
筷子	kuài zi	chopsticks	14
款	kuǎn	fund	5
扩展	kuò zhǎn	expand	9
阔	kuò	wide; broad	5

L

生词	拼音	意思	课号
来自	lái zì	come from	2
浪漫	làng màn	romantic	13
离开	lí kāi	leave	2
礼貌	lǐ mào	polite	5
礼仪	lǐ yí	protocol	14
里	lǐ	*li*, 1/2 kilometer	11
理由	lǐ yóu	reason	1
丽	lì	beautiful	11
粒	lì	a measure word (used for granular objects)	14
连	lián	even	11
联系	lián xì	contact with	7
练习册	liàn xí cè	workbook	9
恋	liàn	fall in love	6
恋爱	liàn ài	fall in love	6
粮食	liáng shi	grain	12
疗	liáo	treat	10
料理	liào lǐ	cuisine	15
劣	liè	bad	10
劣势	liè shì	unfavourable or disadvantageous situation	10
林	lín	circles	7
临	lín	face; confront	15
灵	líng	nimble	9
灵活	líng huó	flexible	9
龄	líng	age	9
令	lìng	make; cause	2
留	liú	leave (over)	6
留言	liú yán	leave one's comments	6
留意	liú yì	beware of	3
流动	liú dòng	floating	15
论	lùn	discuss	1
侣	lǚ	companion	6
旅游业	lǚ yóu yè	tourism	15
律	lǜ	discipline	2
虑	lǜ	consider	2

生词	拼音	意思	课号
率	lǜ	ratio	15

M

生词	拼音	意思	课号
马六甲	mǎ liù jiǎ	Malacca, a harbour city in Malaysia	11
满	mǎn	full	13
貌	mào	looks	5
媒	méi	medium	4
美感	měi gǎn	sense of beauty	7
美好	měi hǎo	beautiful	6
美丽	měi lì	beautiful	11
魅	mèi	attract	11
魅力	mèi lì	charm	11
门口	mén kǒu	entrance	14
面	miàn	surface	7
面对	miàn duì	face; confront	7
面临	miàn lín	be faced with	15
闽南	mǐn nán	Southern Fujian	11
敏	mǐn	quick	13
敏感	mǐn gǎn	sensitive	13
敏感度	mǐn gǎn dù	sensitivity	13
目的	mù dì	purpose	2
慕	mù	admire; envy	6

N

生词	拼音	意思	课号
南洋	nán yáng	an old name for the Malay Archipelago, the Malay Peninsula and Indonesia or for Southeast Asia	11
能	néng	energy	12
能源	néng yuán	energy resources	12
逆	nì	disobey	4
逆反	nì fǎn	rebellious	4
年代	nián dài	year; time	11
年龄	nián líng	age	9
娘惹菜	niáng rě cài	Nyonya dishes	11
农	nóng	agriculture	5
农村	nóng cūn	countryside; village	5

P

生词	拼音	意思	课号
排	pái	row of; line of; a measure word	11
排放	pái fàng	emit	12
牌	pái	board	11
攀	pān	climb	3
攀比	pān bǐ	compare with and try to follow	3
盼	pàn	long for	13
盼望	pàn wàng	long for	13
配套	pèi tào	form a complete set	10
碰	pèng	come across	7
碰	pèng	touch	14
片	piàn	movie; film	7
贫	pín	poor	5
贫困	pín kùn	poor	5
贫穷	pín qióng	poor	5
频	pín	frequency	9
品	pǐn	character; quality	5
品德	pǐn dé	moral character	5
平安	píng ān	safe and sound	13
平板	píng bǎn	flat	9
平等	píng děng	equal	3
平台	píng tái	platform	8
评	píng	comment	6
评估	píng gū	evaluate	9
评论	píng lùn	comment	6
破	pò	break	12
破坏	pò huài	destroy	12
朴	pǔ	simple; plain	5
朴实	pǔ shí	simple; plain	5
普遍	pǔ biàn	widespread	6

Q

生词	拼音	意思	课号
其	qí	his; her; its; their	4
启	qǐ	inspire	7
启示	qǐ shì	inspiration	7
气氛	qì fēn	atmosphere	9
弃	qì	abandon	7
浅	qiǎn	shallow	14
亲	qīn	parent	7
勤奋	qín fèn	diligent	5
清新	qīng xīn	fresh	10
情感	qíng gǎn	emotion; feeling	6
情景	qíng jǐng	scene	6
情侣	qíng lǚ	a pair of lovers	6
穷	qióng	poor	5
驱	qū	drive out	13
驱邪	qū xié	drive out evil spirits	13
趋	qū	tend towards	15

生词	拼音	意思	课号
趋势	qū shì	trend	15
取消	qǔ xiāo	cancel	1
权	quán	power	10
全球	quán qiú	whole world	15
全球化	quán qiú huà	globalization	15
却	què	yet; however	6
确定	què dìng	certain	6

R

生词	拼音	意思	课号
然而	rán ér	however	8
染	rǎn	pollute	12
扰	rǎo	disturb	8
人生	rén shēng	life	1
忍	rěn	bear	8
日常	rì cháng	daily	9
日益	rì yì	increasingly	4
融	róng	blend	11
融合	róng hé	mix together	11
如何	rú hé	how; what	2
如今	rú jīn	nowadays	9
入	rù	enter	14
入座	rù zuò	take one's seat	14

S

生词	拼音	意思	课号
山东	shān dōng	Shandong province	5
伤	shāng	hurt	6
伤心	shāng xīn	sad	6
商	shāng	quotient	13
上瘾	shàng yǐn	be addicted to	8
上座	shàng zuò	seat of honour	14
舍	shě	give up	2
设	shè	plan	5
设备	shè bèi	equipment	10
设计	shè jì	design	5
设立	shè lì	establish	15
身份	shēn fèn	identity	3
身心	shēn xīn	body and mind	4
深信	shēn xìn	believe strongly	2
神	shén	god	13
审	shěn	comprehend	3
审美	shěn měi	appreciation of beauty	3
甚至	shèn zhì	even	2
生存	shēng cún	live; exist	12
生意	shēng yi	business	7
声响	shēng xiǎng	sound; noise	14
声音	shēng yīn	sound; voice	1
圣诞节	shèng dàn jié	Christmas (Day)	13
圣诞树	shèng dàn shù	Christmas tree	13
胜	shèng	bear	3
失	shī	fail to achieve	2
失	shī	lose	7
失去	shī qù	lose	7
失望	shī wàng	disappointed	2
石锅拌饭	shí guō bàn fàn	Bibimbap	15
石油	shí yóu	petroleum; oil	12
时常	shí cháng	often	6
时光	shí guāng	time	6
实际	shí jì	real; actual	1
实际上	shí jì shang	actually	9
势	shì	situation	10
视频	shì pín	video	9
是否	shì fǒu	whether	2
适应	shì yìng	adapt	2
收藏	shōu cáng	collect	6
手	shǒu	a person with a certain skill	7
守	shǒu	abide by	14
束	shù	restrict	3
述	shù	narrate	7
竖	shù	vertical	14
双方	shuāng fāng	both sides	6
私	sī	private	10
私立	sī lì	privately run	10
死	sǐ	die	14
俗	sú	popular	14
俗语	sú yǔ	popular saying	14
随着	suí zhe	along with; in pace with	15
锁	suǒ	lock (up)	8

T

生词	拼音	意思	课号
他人	tā rén	another person; other people	14
态	tài	condition	12
态度	tài dù	attitude	12
谈	tán	talk	3
逃	táo	escape	4
逃避	táo bì	escape	7
逃学	táo xué	play truant; skiving	4

生词	拼音	意思	课号
桃树	táo shù	peach (tree)	13
讨	tǎo	discuss	1
讨论	tǎo lùn	discuss	1
提升	tí shēng	promote	9
题目	tí mù	subject; topic	8
体现	tǐ xiàn	embody	11
天然气	tiān rán qì	natural gas	12
挑	tiāo	choose	3
挑选	tiāo xuǎn	choose	3
条件	tiáo jiàn	condition	5
挑	tiǎo	stir up	1
挑战	tiǎo zhàn	challenge	1
铁板烧	tiě bǎn shāo	teppanyaki	15
听讲	tīng jiǎng	attend a lecture	8
听取	tīng qǔ	listen to	3
通讯	tōng xùn	communication	15
通知	tōng zhī	notice	5
同辈	tóng bèi	of the same generation; peer	4
同意	tóng yì	agree	2
偷	tōu	steal	4
途径	tú jìng	way; channel	8
W			
外来	wài lái	outside; foreign	15
完成	wán chéng	complete	8
完美	wán měi	perfect	11
完全	wán quán	completely	2
网络	wǎng luò	network	9
网友	wǎng yǒu	net pal	8
网站	wǎng zhàn	website	5
旺	wàng	flourishing	15
危	wēi	danger	6
危机	wēi jī	crisis	6
位	wèi	place	10
慰	wèi	comfort	6
温室	wēn shì	green house	1
握	wò	grasp	1
污	wū	dirty; filthy	12
污染	wū rǎn	pollute	12
武功	wǔ gōng	martial arts	7
武林	wǔ lín	martial arts circles	7
物品	wù pǐn	article; goods	12

生词	拼音	意思	课号
误	wù	accidental	7
误打误撞	wù dǎ wù zhuàng	as luck would have it	7
X			
吸毒	xī dú	take drugs	4
惜	xī	cherish	5
喜庆	xǐ qìng	joyous	13
侠	xiá	chivalrous expert swordsman	7
下	xià	inferior	14
下降	xià jiàng	fall	8
下意识	xià yì shi	subconsciously	3
闲	xián	leisure	10
显	xiǎn	obvious	14
显得	xiǎn de	seem	14
县	xiàn	county	5
现象	xiàn xiàng	phenomenon	6
羡	xiàn	admire; envy	6
羡慕	xiàn mù	admire; envy	6
乡	xiāng	village; countryside	5
乡村	xiāng cūn	village; countryside	5
相处	xiāng chǔ	get along with	2
相对	xiāng duì	relative	8
相关	xiāng guān	be related to	8
享受	xiǎng shòu	enjoy	7
享用	xiǎng yòng	enjoy the use of	15
象征	xiàng zhēng	symbol	3
像	xiàng	such as	10
消	xiāo	remove	1
消	xiāo	disappear; vanish	4
消耗	xiāo hào	consume; consumption	12
消极	xiāo jí	negative	4
邪	xié	disasters that evil spirits bring	13
心理	xīn lǐ	mentality	4
心智	xīn zhì	wisdom	6
信心	xìn xīn	confidence	7
兴旺	xīng wàng	flourishing	15
形	xíng	present	4
形成	xíng chéng	form; take shape	4
型	xíng	type	10
休闲	xiū xián	be at leisure	10
秀	xiù	excellent	2

生词	拼音	意思	课号
宣	xuān	announce; proclaim	12
宣传	xuān chuán	publicize	12
学业	xué yè	one's studies	6
讯	xùn	message	15
迅	xùn	rapid	4
迅速	xùn sù	rapid	4

Y

生词	拼音	意思	课号
压力	yā lì	pressure	1
烟	yān	cigarette	4
严重	yán zhòng	serious	12
言行	yán xíng	words and deeds	3
研	yán	research	8
研究	yán jiū	research	8
眼界	yǎn jiè	field of vision	5
演讲	yǎn jiǎng	deliver a speech	8
央	yāng	centre	14
扬	yáng	spread	4
氧	yǎng	oxygen	12
肴	yáo	meat and fish dishes	11
也许	yě xǔ	probably	2
业	yè	trade	15
医疗	yī liáo	medical treatment	10
医术	yī shù	medical skill	10
一定	yí dìng	certain	15
一切	yí qiè	all	5
仪	yí	ceremony; protocol	14
移	yí	move	15
移民	yí mín	emigrant; immigrant	15
以	yǐ	so as to	12
以便	yǐ biàn	so as to	15
以及	yǐ jí	as well as	11
以致	yǐ zhì	so that	8
忆	yì	recall	6
议	yì	discuss	2
议题	yì tí	topic for discussion	8
异	yì	different	13
异国	yì guó	foreign country	15
异同	yì tóng	differences and similarities	13
益	yì	increase	4
意识	yì shi	consciousness	3
意味	yì wèi	implication	10
意味着	yì wèi zhe	imply	10
意想不到	yì xiǎng bú dào	unexpected	2
音频	yīn pín	audio	9
引导	yǐn dǎo	lead	4
瘾	yǐn	addiction	4
迎合	yíng hé	cater to	15
营	yíng	operate; manage	7
应	yìng	deal with	1
应对	yìng duì	respond	1
映	yìng	project a movie	7
拥	yōng	possess	5
拥有	yōng yǒu	possess	5
勇	yǒng	brave	7
勇气	yǒng qì	courage	7
优惠	yōu huì	favourable	9
优良	yōu liáng	good	10
优势	yōu shì	advantage	10
优秀	yōu xiù	excellent	2
优越	yōu yuè	superior	10
幽默	yōu mò	humourous	7
尤其	yóu qí	especially	12
由	yóu	reason	1
游客	yóu kè	tourist	11
游山玩水	yóu shān wán shuǐ	tour the scenic spots	11
有益	yǒu yì	beneficial	4
于	yú	to; for	3
于	yú	than	10
与	yǔ	with	2
予	yǔ	give	9
元素	yuán sù	element	15
源	yuán	source	12
远	yuǎn	(of a difference) far	10
愿望	yuàn wàng	wish	13
约	yuē	restrict	3
约束	yuē shù	restrain	3
阅	yuè	experience	2
阅历	yuè lì	experience	2

Z

生词	拼音	意思	课号
再说	zài shuō	what is more	6
赞	zàn	praise	6
赞成	zàn chéng	agree with	6

生词	拼音	意思	课号
遭	zāo	suffer	12
遭受	zāo shòu	suffer	12
造成	zào chéng	cause	4
燥	zào	dry	8
则	zé	then	1
则	zé	regulation	14
展	zhǎn	open up	1
展开	zhǎn kāi	carry out	1
展现	zhǎn xiàn	display	3
战	zhàn	fight	1
站	zhàn	stand	14
张	zhāng	stretch	1
张	zhāng	display	11
张灯结彩	zhāng dēng jié cǎi	be decorated with lanterns and colourful streamers	11
长者	zhǎng zhě	senior	14
掌	zhǎng	control	1
掌握	zhǎng wò	grasp; master	1
招	zhāo	attract	11
招牌	zhāo pai	signboard	11
者	zhě	indicating a person	4
珍	zhēn	value highly	5
珍惜	zhēn xī	cherish	5
真实	zhēn shí	real	1
真正	zhēn zhèng	true; real	5
争辩	zhēng biàn	argue	8
征	zhēng	evidence	3
正	zhèng	straight; upright	5
正面	zhèng miàn	positive	4
支	zhī	pay or draw (money)	12
织	zhī	weave	5
直接	zhí jiē	direct	13
指	zhǐ	give directions	9
指	zhǐ	mean	13
指导	zhǐ dǎo	guide; direct	9
制	zhì	work out	9
制订	zhì dìng	work out	9
制造	zhì zào	make; manufacture	12
致	zhì	extend	3
致	zhì	result in	8
智慧	zhì huì	intelligence	11

生词	拼音	意思	课号
智商	zhì shāng	IQ (intelligence quotient)	13
中央	zhōng yāng	centre; middle	14
终	zhōng	whole	2
终	zhōng	end	7
终生	zhōng shēng	all one's life	2
众	zhòng	numerous	4
众所周知	zhòng suǒ zhōu zhī	as everyone knows	8
主人	zhǔ rén	host	14
注意力	zhù yì lì	attention	8
专家	zhuān jiā	expert	4
专门	zhuān mén	special	9
专题	zhuān tí	special subject; special topic	8
专心	zhuān xīn	concentrate one's attention	8
转学	zhuǎn xué	transfer to another school	10
转载	zhuǎn zǎi	reprint	6
装	zhuāng	install	9
装	zhuāng	decorate	13
装饰	zhuāng shì	decorate	13
状	zhuàng	condition	15
状况	zhuàng kuàng	state	15
撞	zhuàng	meet by chance	7
拙	zhuō	clumsy	7
资源	zī yuán	resources	12
自	zì	from	2
自觉	zì jué	conscious	9
自理	zì lǐ	take care of oneself	2
自律	zì lǜ	self-discipline	2
自我	zì wǒ	oneself	3
宗	zōng	clan	11
宗祠	zōng cí	ancestral hall or temple	11
总之	zǒng zhī	in a word	6
组织	zǔ zhī	organize	5
最终	zuì zhōng	final	7
尊	zūn	respect	3
尊敬	zūn jìng	honorable	3
遵	zūn	abide by	14
遵守	zūn shǒu	abide by	14
作为	zuò wéi	regard as	14
座	zuò	seat	14
座位	zuò wèi	seat	14